ENTRAÎNEZ-VOUS

LIRE LA PRESSE POUR...

RÉSUMER, COMMENTER ET DÉBATTRE

NIVEAU AVANCÉ

CATHERINE DESCAYRAC

27, rue de la Glacière 75013 Paris
Vente aux enseignants : 16, rue Monsieur-le-Prince 75006 Paris

TABLEAU SYNOPTIQUE

TITRE DE L'ARTICLE	RÉSUMÉ À PRODUIRE	AIDES FOURNIES	ACTIVITÉS
			LE RÉSUMÉ COMMUNICATIF
Guy de Maupassant, déjà			• découvrir un exemple de résumé communicatif, dans la presse • identifier les situations sociales de lecture et de production de résumés communicatifs
Tchernobyl sur les planches	Un résumé intégré à une lettre amicale	• quatrième de couverture d'un roman	• comparer deux types de résumés incitatifs
Le retour de Béatrice	Un résumé/synthèse de plusieurs documents, intégré à la réponse à une lettre amicale	• extrait de la première lettre	• distinger les éléments d'organisation sémantique : les événements les protagonistes, les thèmes
90 ans de Goncourt	Un résumé intégré à un article pour un magazine	• canevas de l'article à produire	• élaborer des questions de compréhension sur le texte • s'approprier les procédés de globalisation, de généralisation et d'abstraction • choisir les temps du récit
L'once de génie des fausses cartes à puce	Un résumé intégré à une lettre d'amoureux	• début de paragraphes de la lettre	• s'approprier les procédés de globalisation • caractériser une personne : lexique • décrire les réactions d'une personne face à un événement
Filles, encore un effort !	Quatre résumés intégrés au courrier des lecteurs de quatre publications de presse	• canevas commun aux quatre lettres	• choisir un titre correspondant à l'orientation argumentative du texte
Une histoire racontée par les enfants	Cinq résumés intégrés dans un dossier pour un journal d'étudiants	• titre et fonction de chaque résumé • quatrième de couverture d'un roman	• décrire et expliquer le fonctionnement d'un projet • faire un portrait • le résumé incitatif
Une caméra en solitude	Sept résumés sélectifs intégrés dans un dossier thématique pour un magazine	• le premier résumé	• identifier les réseaux thématiques d'un texte • passer du dialogue au portrait • expliciter les relations logiques • s'approprier les procédés de globalisation, de généralisation et d'abstraction • reformulation et transformations au niveau de la phrase • la cohérence textuelle
			LE RÉSUMÉ EXERCICE
La double vie des étudiants salariés	Reconstitution, réécriture et réduction d'un résumé de l'article	• Éléments du résumé à reconstituer • questionnaire d'évaluation du résumé reconstitué	• s'approprier les procédés de globalisation, de généralisation et d'abstraction • reformulation et lexique • reformulation et syntaxe
Pas d'argent sale aux guichets	Réécriture et réduction d'un résumé de l'article	• résumé à réécrire • questionnaire d'évaluation de de ce résumé • extrait de l'article et tableau de classement	• s'approprier les procédés de cohérence textuelles : progression et reprise
France-États-Unis	Réécriture et expansion d'un résumé de l'article	• reformulation partielle du contenu de l'article • résumé à réécrire	• s'approprier les procédés de globalisation, de généralisation et d'abstraction • observer le rôle de la ponctuation
Une banlieue dans le pétrin	Reconstitution, fusion et réduction de deux résumés de l'article en un seul	• dernier paragraphe de chaque résumé • paragraphe des deux résumés dans un ordre erroné	• repérer les indices de cohérence textuelle • choisir les temps du récit • comparer la sélection des informations • comparer les effets de sens des différentes reformulations • observer la progression thématique : date et durée des évènements, les lieux et les protagonistes
Des autobiographies «clé en main»	Résumé de l'article	• texte d'opinion sur le contenu de l'article	• s'approprier les procédés de progression et de reprise • comparer un résumé et un commentaire

AVANT-PROPOS

LIRE LA PRESSE… POUR RÉSUMER, COMMENTER ET DÉBATTRE propose aux étudiants avancés, et à leurs enseignants, des textes et des activités, qui ont été sélectionnés et organisés en fonction des trois objectifs formulés dans le titre.

PRESSE ET REFORMULATION

La presse, parce que les discours des médias sont présents dans les échanges de la vie quotidienne, sociale et professionnelle : on les cite, on les commente, on en débat.

La presse écrite, parce qu'elle est présente dans les classes de français langue étrangère et dans les épreuves d'examens, notamment celles du DELF et du DALF.

La reformulation, parce que parler, écrire, écouter, lire c'est toujours utiliser ce que d'autres ont déjà dit pour en faire un nouvel événement de communication.

COMPRÉHENSION, PRODUCTION ET REFORMULATION

Les activités qui favorisent les interactions entre compréhension et production ont été privilégiées car elles facilitent la reformulation. Les activités de reformulation, quant à elles, permettent à l'apprenant de lutter contre sa tendance à ne dire ou à n'écrire que ce qu'il sait dire ou écrire dans la langue étrangère.

LES RUBRIQUES

LIRE POUR RÉSUMER

Grâce à un questionnement croisé entre le texte, l'auteur et l'apprenant, celui-ci joue pleinement son rôle de lecteur.

RÉSUMER POUR QUI ?

Le livre se divise en deux parties : le résumé-communicatif et le résumé-exercice.

L'entraînement au résumé-exercice, de type scolaire, intéressera les apprenants qui préparent des examens et tous ceux, apprenants et enseignants, qui estiment que les contraintes formelles favorisent l'apprentissage, à condition qu'elles soient explicites. Sa principale fonction est de prouver que l'on a compris l'article et que l'on est capable de produire un autre texte dont l'organisation et la langue rendent compte du sens de cet article. On résume pour l'enseignant ou pour l'examinateur.

L'entraînement au résumé-communicatif met l'accent sur la prise en compte de la situation de communication. Dans une situation d'écriture donnée, on intègre un résumé partiel ou intégral de l'article, pour argumenter, expliquer ou exemplifier son propre discours.

Le tableau de la page 2 porte exclusivement sur la rubrique *Résumer pour qui ?* Il permet à l'utilisateur d'identifier les activités et les aides fournies à l'apprenant.

La méthode utilisée pour le comptage des mots est la suivante : on compte comme mot tout ensemble de lettres qui se suivent sans espace blanc, apostrophe ou trait d'union. Ainsi, *main-d'œuvre* compte pour trois mots ; *c'est-à-dire* pour quatre mots ; *anticonstitutionnellement* pour un seul.

ÉVALUER

La rubrique *Évaluer* propose des outils permettant à l'apprenant d'améliorer ses productions. Dans certains cas, il est également invité à utiliser un barème pour noter ses productions. Par ailleurs, il est sans cesse conduit à évaluer sa compréhension de l'article de départ.

COMMENTER

Le commentaire et le débat sont regroupés dans une seule rubrique car il s'agit d'activités de communication orale.

Cela permet à l'utilisateur de choisir son parcours : il peut, par exemple, passer des activités de lecture aux activités orales.

DIRE AUTREMENT

C'est un outil utilisable à n'importe quel moment du travail.

Dire autrement propose des équivalences valides dans le contexte de l'article. Il ne s'agit pas d'un lexique de synonymes.

Ces équivalences ne représentent pas toujours le meilleur choix pour le résumé car elles ne sont ni exhaustives, ni toujours plus économiques en nombre de mots.

Par contre, elles ont pour but de faciliter la compréhension de l'article, par les interprétations qu'elles excluent et celles qu'elles suscitent.

Les termes appartenant au registre familier sont signalés par une étoile. *

LIRE LA PRESSE POUR… est un matériel souple et adaptable.

En effet, les articles sont contextualisés avec précision (origine et date) et permettent ainsi de multiples points de vue de lecture. La démarche est explicite et transférable à d'autres textes.

Par ailleurs, les thèmes, relevant de l'actualité «non-événementielle», ne sont pas d'un intérêt éphémère.

SOMMAIRE

TABLEAU SYNOPTIQUE, **2**

AVANT-PROPOS, **3**

LE RÉSUMÉ COMMUNICATIF

- Guy de Maupassant, déjà... **6**
- Tchernobyl sur les planches **8**
- L'enfer de Béatrice **14**
- Quatre-vingt-dix ans de Nobel **20**
- L'once de génie des fausses cartes à puce **26**
- Filles, encore un effort ! **32**
- Une histoire racontée par les enfants **38**
- Une caméra en solitude **46**

LE RÉSUMÉ EXERCICE

- La double vie des étudiants salariés **58**
- Pas d'argent sale aux guichets **65**
- France / États-Unis : les idées reçues **72**
- Une banlieue dans le pétrin **77**
- Des autobiographies «clé en main» **84**

CORRIGÉS **89**

LE RÉSUMÉ COMMUNICATIF

[illegible] *reconstruire le chemin de fer et la route vers l'océan»*, observe Carlos Holguin Sardi, le gouverneur du département du Valle. Sage considération, qui ne suscite guère de réactions du côté de Bogota. *«C'est la pire crise de notre histoire»*, affirme le directeur du port. *Personne n'a prévu les conséquences de la politique d'ouverture. Le volume du commerce extérieur est en hausse de 35 % pour le premier trimestre de cette année. Nous étions accoutumés à une hausse moyenne de 10 % par an.» «Ce port est une des sept plaies d'Egypte»*, grogne un camionneur qui attend depuis cinq jours pour décharger ses vingt tonnes de sucre. Paradoxe : des parlementaires de la côte atlantique, traditionnellement influents dans la capitale, réclament davantage de [illegible] sur ce que les habitants appellent le «continent», au-delà du pont del Pinal (de l'ananas), le seul en fait, étroit et encombré, qui unisse «l'île» au «continent».

«L'île», trois kilomètres de long sur un kilomètre et demi de large, plate, avec une seule colline pentue, la *loma*, qui domine les quais du port, à la partie noble de Buenaventura. Quelques vraies rues, asphaltées depuis peu, la capitainerie et les douanes, des banques, et la Maison du café, fière de ses douze étages. Quelques bars à filles aussi au bas de la colline à la Pilota. Ce qui reste de l'ancien secteur «chaud», le maire précédent, Gerardo Tovar, ayant décidé d'expulser les bordels clandestins mais tolérés vers le «continent», au kilomètre 7.

Le «continent» ? Un bien grand mot pour une terre étroite, imbriquée dans la baie, également noyée d'embruns et encerclée régulièrement par ces vastes plages de vase que laisse la marée. Des grèves immenses et noires où les femmes des pêcheurs, jupes retroussées, marchent à la rencontre de leurs hommes et des barques échouées, chargées d'écailles brillantes comme l'argent. Vue du ciel et à marée basse, Buenaventura ressemble à une cité qui aurait été submergée [illegible] *«La première* [illegible] dit [illegible] d'hélicoptère, [illegible] *cru* [illegible] *Armero»*, [illegible] en [illegible] l'éruption du [illegible] del [illegible]

A la pointe de l'île, las Mercedes, la zone élégante, n'a pas 200 mètres [illegible] débarcadère. [illegible] avec ses [illegible] et ses ventilateurs [illegible] à le [illegible] années 30 [illegible] tée, d'une vingtaine de kilomètres de long. De ses patios on aperçoit les chaloupes qui traversent la rade vers les rives verdoyantes et touffues de la Bocana, les cargos pansus et rouillés, très hauts sur l'eau, qui attendent une place le long des quais d'un port submergé par un trafic en hausse depuis «l'ouverture économique» décidée en 1990 par le gouvernement.

Buenaventura, ville oubliée depuis des lustres par le pouvoir [illegible]

Guy de Maupassant, déjà…

Face à la stérilité, un couple trouve aujourd'hui dans la médecine un partenaire plein de sollicitude et d'imagination. Et ça donne les PMA (procréations médicalement assistées), c'est-à-dire les IA, IAD, FIV, …

En d'autres temps moins scientifiques, on n'avait, officiellement, guère le choix – sauf à faire son « deuil d'enfant », comme disent les « psy » – qu'entre répudier sa femme, supposée inféconde, ou adopter un enfant. En fait, les sociétés se sont toujours montrées beaucoup plus arrangeantes. En témoigne cette solution proposée par Guy de Maupassant dans sa nouvelle « L'Héritage ». Si la manie des sigles avait déjà été de mode, on aurait pu l'intituler « IND » (insémination naturelle avec donneur) …

Au ministère de la Marine, « *le commis d'ordre du matériel général* », M. César Cachelin, un ancien sous-officier d'infanterie de marine devenu commis principal « *par la force du temps* », après de savantes manœuvres, parvient à faire marier sa fille, Céleste-Coralie Cachelin, à Lesable, un jeune collègue plein d'avenir. Sur ces entrefaites, la sœur du commis d'ordre, la vieille Mlle Cachelin, qui « *possédait un million, un million net, liquide et solide, acquis par l'amour, disait-on, mais purifié par une dévotion tardive* » meurt. Stupeur : son testament stipule que sa fortune ira aux enfants qui naîtront du mariage de sa nièce. Une date limite est fixée pour l'arrivée du premier rejeton : trois ans plus tard.

Le jeune couple se met à l'œuvre. Sans succès. Alors commence le parcours du couple combattant de la stérilité. Peine perdue. La date fatidique se rapproche. L'héritage va-t-il être perdu au bénéfice des pauvres et des établissements de bienfaisance ?

Non, car, dans l'esprit de l'ancien sous-officier d'infanterie de marine, le père de « Cora », cette « *belle fille de forte race, avec des cheveux chatains et des yeux bleus* », germe l'idée suivante : il faut introduire un renard dans le poulailler. Ce sera « le beau Maze, le lion du bureau », un autre jeune collègue du ministère de la Marine. Résultat : juste avant la date limite, Cora tombe enceinte. Il ne reste plus qu'à éliminer de la famille, et à renvoyer dans l'anonymat, ce donneur naturel. Voilà Lesable enfin père de famille et riche du million de la tante… ●

Le Point, N° *942* / 8 octobre 1990

LIRE POUR RÉSUMER

Le texte et vous

1. D'après son titre, quel peut être le contenu de cet article ?

Vous et le sujet du texte

2. Le premier paragraphe confirme-t-il votre hypothèse sur le contenu du texte ?

3. IA : Insémination Artificielle, IAD : Insémination Artificielle avec Donneur, FIV : Fécondation In Vitro.
De quoi s'agit-il ?

L'auteur, le texte et vous

4. Lisez la totalité du texte. Cet article est extrait d'un dossier : quel est le sujet de ce dossier ?

5. Généralement, dans quel type de texte de presse trouve-t-on le résumé d'une œuvre littéraire ?

6. Dans le cas présent, quel est l'objectif de l'auteur de l'article ?

7. Quelles sont les principales marques d'humour ?

8. Comment le contenu de la nouvelle de Maupassant justifie-t-il le titre qu'il lui a donné ?

9. Comment le contenu de la nouvelle justifie-t-il le titre que le journaliste propose de lui donner ? (ligne 23)

RÉSUMER POUR QUOI ?

10. Dans quel but le journaliste intègre-t-il, dans son article, le résumé de la nouvelle ?

11. Dans les deux premiers paragraphes, relevez les termes qui annoncent le rôle que joue le résumé dans l'ensemble du texte ?

12. Faites une liste des situations de la vie sociale et professionnelle dans lesquelles on est amené à résumer un texte.

Tchernobyl sur les planches

Six ans après la catastrophe, le public français peut enfin voir *Sarcophagus*, pièce de théâtre qui, au-delà de Tchernobyl, dénonce les dangers de l'irresponsabilité.

« Le théâtre abolit la distance avec le spectateur. On peut mentir dans un livre ou dans un film. Au théâtre, jamais ». Après avoir rencontré de plein fouet la catastrophe de Tchernobyl le 26 avril 1986, Vladimir Goubarev n'a pas hésité longtemps.

A l'époque, il est le journaliste scientifique le plus renommé d'URSS, et le premier homme de presse à se rendre sur les lieux, à survoler en hélicoptère le réacteur éventré, à sillonner la zone sinistrée. Quatre jours seulement après l'explosion du réacteur numéro 4. Cette expérience, qui l'a marqué à tout jamais, il veut la transmettre. Difficile, au travers de simples articles. Après avoir demandé un congé sans solde à son journal, il s'assied devant sa machine à écrire le 18 juin. Huit jours et très peu d'heures de sommeil plus tard, *Sarcophagus* (le sarcophage) était terminée. Depuis, la pièce de Vladimir Goubarev a fait un triomphe sur toutes les scènes du monde, de Tokyo à Londres (jouée par la Royal Shakespeare Company) et dans la plupart des capitales européennes, de Princeton aux petits théâtres de province soviétiques (mais pas à Moscou, Kiev ou Léningrad).

En France, cela faisait cinq ans que Suzanne Sarquier, agent littéraire se battait pour faire jouer une adaptation de *Sarcophagus*. Beaucoup de réticences, mais aussi des coups du sort (Jean Le Poulain avait décidé de la monter à l'Odéon juste avant de mourir). Elle vient enfin d'aboutir. *Sarcophagus* sera jouée du 3 au 31 mars à l'Espace 44 de Nantes, adaptée par Eric-Emmanuel Schmitt et mise en scène par Jean-Luc Tardieu avec Martin Lamotte et Marina Vlady dans les rôles principaux. Vingt-six représentations à guichets fermés dans une salle de 800 places. Suivies peut-être, espèrent les promoteurs de la pièce, par une reprise dans un théâtre parisien la saison prochaine.

Le bouffon du nucléaire

Chef de la rubrique scientifique à la Pravda : si l'on en juge par ses états de service, Vladimir Goubarev ne correspond pas vraiment à l'idée que l'on peut se faire du dramaturge à succès. Mais notre homme, qui n'en est pas à son coup d'essai, avait déjà écrit quatre autres pièces, et la construction de *Sarcophagus* témoigne de sa maîtrise. Paradoxalement, on rit beaucoup, d'un rire souvent amer, à ce spectacle dont le propos dépasse largement le drame de Tchernobyl.

Perpétuel, sorte de bouffon du nucléaire, incarné de façon magistrale par Martin Lamotte, a résisté contre toute attente à une irradiation massive, théoriquement mortelle. Ivre mort, il s'est endormi près d'un réacteur, mais préfère raconter aux filles qu'il a avalé du plutonium par dépit amoureux. On a sa fierté. Depuis 487 jours, il est l'unique patient du département expérimental de l'Institut de la sécurité radioactive, quand l'arrivée massive des victimes de Tchernobyl rompt ses habitudes et son ennui. Le général et son chauffeur, le directeur de la centrale, l'« opérateur » responsable de la marche du réacteur le « dosimétreur », le pompier, le physicien et les autres, revivront la catastrophe, ressasseront leur culpabilité, leurs doutes, sous l'œil critique et sarcastique de Perpétuel. En attendant la mort.

De nombreux protagonistes du drame sont reconnaissables immédiatement pour qui a suivi de près les suites de la catastrophe et a pu se rendre sur les lieux. Mais Vladimir Goubarev a su saisir magistralement ce que ces personnages ont d'exemplaire, d'universel. Et, au-delà du nucléaire il dénonce avant tout ce qui a rendu possible la catastrophe, *« le système de l'irresponsabilité, un système sans faille »*, comme le dit Perpétuel. Un système international, aussi : *« Cela pourrait s'appliquer chez nous au scandale de la transfusion »*, estimait le professeur Léon Schwartzenberg à l'issue de la première.

« Nous sommes tous responsables »

Goubarev ne montre ni haine ni mépris. Aucun personnage n'est vraiment antipathique, et l'auteur lui-même ne fuit pas ses responsabilités, conscient sans doute d'avoir participé longtemps à ce système, avant de devenir conseiller scientifique de Mikhail Gorbatchev. *« Quand le taux de médiocrité est trop élevé, nous sommes tous responsables »* dit-il.

Sarcophagus n'est pas vraiment un pamphlet antinucléaire. Goubarev va même, quand on l'interroge, jusqu'à affirmer que les centrales françaises, bien gérées, ne l'inquiètent pas, au contraire de celles de son pays *« où la sûreté se détériore »*. Mais l'atome ne se limite pas aux réacteurs. *« Aujourd'hui, dit-il, je ne lutte pas seulement contre l'oubli de Tchernobyl. Je crains aussi un nouvel Hiroshima ou Nagasaki. »* Inquiétude qu'il traduit par cette superbe tirade, dans la bouche de Perpétuel, qui, à la fin de la pièce, prend à partie le directeur de l'institut où il croupit : *« Dis-leur, aux Américains, aux Russes, aux autres, dis-leur à ceux qui jouent à la bombe atomique, dis-leur que, s'ils abusent, le genre humain sera fait de çà, de gens comme moi, de fantômes qui bouffonnent dans un monde sans microbes, de gens drôles et sans joie, étrangers à la vie mais qui ne souhaitent même pas la mort ; ils ne sont pas sûrs d'être dépaysés... »*.

JEAN-PAUL DUFOUR

Le Monde / 11 mars 1992

POUR RÉSUMER

Le texte et vous

1. Cherchez, dans le début de l'article, le nom de l'auteur de la pièce, puis, dans le tableau «Dire autrement» (p. 12), la signification du mot latin «Sarcophagus».

2. Dans le titre, le chapeau et les intertitres, où, et de quelle façon, le journaliste met-il l'accent sur :
- l'aspect comique du spectacle ?
- le message de la pièce ?
- le retard de l'adaptation française ?

Vous et le sujet du texte

3. Que savez-vous de la catastrophe de Tchernobyl ?

4. À votre avis, cet article vous apportera-t-il de nouvelles informations sur l'événement ?

5. Lisez seulement la première phrase des huit paragraphes et donnez un titre provisoire à chacun d'entre eux.

L'auteur, le texte et vous

6. Relevez, dans le chapeau, le mot qui indique que le journaliste a une attitude positive à l'égard de cette pièce.

7. Lisez l'article en entier et cherchez, dans le texte, l'origine des reformulations suivantes :

a. Vladimir Goubarev n'est pas un dramaturge complètement débutant.
b. Le héros de la pièce s'appelle Perpétuel.
c. V. Goubarev est un homme aux décisions rapides.
d. Son but n'est pas de lutter contre le nucléaire en général.

e. La pièce a déjà obtenu un grand succès.
f. V. Goubarev évite l'analyse simpliste qui distinguerait clairement les coupables et les innocents.
g. La pièce n'est pas encore programmée à Paris.
h. Le thème de la pièce ne se limite pas à la catastrophe de Tchernobyl.

8. Lisez la dernière tirade du héros : «Dis-leur, ...». Dans la pièce, à quel personnage s'adresse Perpétuel ? À travers lui, à qui s'adresse V. Goubarev ?

9. La lecture de cette tirade permet-elle au lecteur de l'article de mieux comprendre la citation placée en tête par le journaliste (lignes 7 à 10) ? Expliquez pourquoi.

10. Faites un résumé oral de l'article, paragraphe par paragraphe. Le tableau «Dire autrement» (pp. 12 et 13) peut vous aider à varier vos formulations.

11. Reprenez les titres provisoires de chaque paragraphe (act. 5) et modifiez-les si vous le jugez utile.

12. Il y a quelques années, un ami vous a offert un roman de Jos Vandeloo, «Le Danger», paru en 1960, dont voici la présentation, imprimée au dos de la couverture du livre.

13. Aujourd'hui, après avoir lu l'article du Monde du 11 mars 1992, vous écrivez à votre ami. Rédigez la lettre en utilisant :
– **le plan de la lettre ci-dessous,**
– **le début de chaque paragraphe qui vous est également donné,**
– **le contenu de l'article.**

PLAN DE LA LETTRE
a. Vous lui rappelez son cadeau.
b. Vous regrettez que l'actualité dépasse la fiction.
c. Vous l'informez de la sortie de la pièce.

> Le Danger   Dans un laboratoire de recherches atomiques, trois ingénieurs sont mortellement atteints par les radiations. Il va falloir essayer de les sauver. L'un d'eux meurt bientôt. Les deux autres savent leur mort prochaine et assistent en spectateurs sceptiques aux efforts que l'on fait pour les sauver. Ils choisissent, finalement, de s'évader. Mais, pour échapper à leur propre mort, vont-ils porter la mort dans la ville ? La science mangeuse d'hommes, les médecins «très humains», l'absurde d'un laboratoire, d'une infirmerie atomiques, tels sont les thèmes de ce récit implacable dont on aimerait pouvoir dire qu'il ne traite pas un sujet d'actualité.
>
> Jos Vandeloo
>
> *Jos Vandeloo, né en 1925 dans le Limbourg belge, après avoir étudié la littérature française et néerlandaise, a été quelques temps chimiste puis journaliste. Il a publié de nombreux recueils de poèmes et de nouvelles, traduits en plusieurs langues. «Le Danger» a reçu en 1961 le prix du Roman de la Province d'Anvers, et a déjà été publié en Italie et en Allemagne.*
>
> AUX ÉDITIONS DU SEUIL
> ISBN 2.02.001473.4 / Imprimé en France 2-64-5

d. Vous lui parlez de l'auteur.
e. Vous lui résumez l'intrigue de la pièce.
f. Vous lui faites part de l'analyse de Vladimir Goubarev sur l'origine de la catastrophe.
g. Vous lui expliquez comment le dramaturge alerte l'opinion.
h. Vous lui proposez un moyen d'inciter la presse française à parler du roman de Jos Vandeloo.
i. Vous lui demandez d'aller voir la pièce le plus rapidement possible et de vous téléphoner.

DÉBUT DES PARAGRAPHES

Cher...

1. Tu te souviens...

2. «...On aimerait pouvoir dire qu'il ne traite pas un sujet d'actualité», concluait le présentateur du livre...

3. C'est pourquoi j'ai été particulièrement…

4. Ce qui est intéressant, tout d'abord, c'est…

5. Bien sûr, l'histoire est un peu différente de celle du roman…

6. Mais, souviens-toi, à l'époque, nous avions eu de longues discussions sur le problème des responsabilités. Eh bien ! Vladimir Goubarev fait à peu près la même analyse que nous…

7. Quant à la nécessité d'alerter l'opinion publique et les hommes politiques, j'admire la façon dont le dramaturge russe…

8. À mon avis, il faudrait que la presse reparle du roman prémonitoire de Jos Vandeloo. Pourquoi…

9. Va…

ÉVALUER

14. Pour améliorer votre production, concentrez-vous particulièrement sur les points suivants :

1. La lettre est-elle adaptée à la situation de communication : relation amicale, sujet sérieux qui vous tient à cœur… ?
2. Les informations que vous donnez à votre ami lui permettent-elles de partager votre intérêt et de comprendre le but de votre lettre ?
3. N'avez-vous pas déformé le sens de l'article ?
4. Les mots que vous avez choisis sont-ils les plus justes ?
5. Les paragraphes s'enchaînent-ils sans rupture de sens ni répétitions inutiles ?
6. La constructions de vos phrases est-elle compatible avec les débuts de paragraphes imposés ?
7. Pour vous assurer de la clarté de votre lettre, imaginez les questions que votre ami aimerait vous poser pour être certain d'avoir bien compris ce que vous voulez dire. Essayez d'intégrer à votre lettre les réponses que vous lui donneriez.
8. Vérifiez la correction grammaticale, l'orthographe et la ponctuation.

COMMENTER

Commenter, c'est préciser

1. Comment s'explique le retard de l'adaptation française ?

2. Comment peut-on qualifier la carrière de V. Goudanev : politique, scientifique, littéraire ou autre ?

3. Que savez-vous du scandale de la transfusion sanguine ? Vos informations vous permettent-elles de comprendre la réaction de Léon Schwartzenberg ?

4. Comparez le thème du roman de J. Vandeloo et celui de la pièce de V. Goudanev.

Commenter, c'est donner son point de vue

… sur la qualité de l'article

5. «Le bouffon du nucléaire» : cet intertitre est-il bien choisi ? Le journaliste s'est-il inspiré des commentaires de l'auteur, des dialogues de la pièce ou s'agit-il de son interprétation personnelle ?

6. Cette critique théâtrale est plutôt centrée sur le message de la pièce. Approuvez-vous ce choix du journaliste ? Pourquoi ?

7. Quelles questions aimeriez-vous poser à J.-P. Dufour ?

… sur le contenu de l'article

8. Le journaliste ne précise pas l'origine de la première citation de l'article (lignes 7 à 10). À votre avis, qui peut être l'auteur de cette déclaration ? Que pensez-vous de son contenu ?

9. Aimeriez-vous voir jouer «Sarcophagus» ? Pour quelles raisons ?

Commenter, c'est comparer des cultures

10. Cette pièce a-t-elle été jouée dans votre pays ?

11. Dans un journal de votre pays, un article annonçant la sortie de «Sarcophagus» serait-il différent ? Pour quelles raisons ?

Débattre, c'est parfois s'opposer

12. Que pensez-vous de ces affirmations ? Exposez et défendez votre point de vue face à quelqu'un qui s'oppose systématiquement à vous.

a. Des centrales nucléaires bien entretenues ne présentent aucun danger.
b. «Nous sommes tous responsables». C'est parfaitement vrai.
c. On peut rire de tout, y compris d'un tel drame.
d. Le succès d'une telle pièce n'a rien de surprenant.
e. V. Goudanev est beaucoup trop pessimiste.

Titre	sur les planches	au théâtre
3	sarcophagus	latin : qui mange, qui détruit les chairs
5	dénoncer	signaler, divulguer, critiquer, réprouver, accuser
7	abolir	supprimer, effacer, éliminer
11	rencontrer de plein fouet	se heurter, être brutalement confronté
14	ne pas hésiter longtemps	se décider tout de suite
15	à l'époque	à ce moment-là, alors
16	renommé	connu, célèbre
17	un homme de presse	un professionnel de la presse
20	éventré	disloqué, détruit
20	sillonner	visiter, parcourir
23	marquer	bouleverser, frapper, toucher
24	à tout jamais	définitivement, pour toujours
24	transmettre	communiquer
25	au travers de	par le biais de, au moyen de
28	il s'assied devant	il s'installe devant
31	un sarcophage	un cercueil de pierre
32	terminé	bouclé, fini
34	faire un triomphe	remporter un immense succès
44	se battre pour	lutter pour, se démener pour
46	une réticence	une résistance, une hésitation, une opposition
47	un coup du sort	la malchance
48	monter	mettre en scène
50	aboutir	réussir, arriver à ses fins
59	un promoteur	un organisateur
63	si l'on en juge par	d'après, en fonction de, au vu de
64	états de service	activités professionnelles
65	l'idée que l'on se fait	l'image que l'on a de
67	à succès	en vogue, populaire
68	ne pas en être à son coup d'essai	ne pas être débutant, novice en la matière
70	la construction	la structure, le plan, l'organisation
71	témoigner de	donner la mesure de, prouver, démontrer
71	la maîtrise	l'habileté, le savoir-faire, l'art, le talent
72	paradoxalement	bizarre, singulièrement
73	amer	triste, douloureux
74	propos	intention, message, visée
74	dépasser	ne pas se limiter à
75	un drame	un terrible événement, une catastrophe, une tragédie
76	un bouffon	un pitre, un clown
77	incarné	sous les traits de, joué par
78	résister	survivre
79	contre toute attente	de façon imprévisible
80	massive	très forte, très importante
81	ivre mort	complètement ivre
84	le dépit amoureux	un chagrin d'amour
84	on a sa fierté	question d'amour-propre
86	patient	malade faisant l'objet de soins
88	massive	en nombre
90	rompre son ennui	le sortir de…
95	une catastrophe	un drame
97	critique	réprobateur
98	sarcastique	railleur, ironique, mordant

100	protagoniste	personne impliquée dans
101	reconnaissable	identifiable
102	immédiatement	sur l'instant, au premier coup d'œil
102	suivre de près	se tenir informé
103	les suites	les conséquences
105	saisir	dégager, mettre en relief
106	magistralement	avec génie
107	exemplaire	qui a valeur d'exemple, non exceptionnel
107	universel	généralisable, de portée universelle
109	ce qui a rendu possible	les causes profondes, les origines
111	irresponsabilité	inconscience, légèreté, imprudence, indifférence
112	sans faille	parfait, sans défaut
114	s'appliquer à	expliquer, se rapporter à
116	estimer	juger, considérer, penser que
117	à l'issue de	après, à la fin de
119	montrer	manifester, exprimer

122	ne pas fuir ses responsabilités	prendre sa part de responsabilités, assumer ses responsabilités
123	conscient de	lucide
127	médiocrité	imperfection, faiblesse, insuffisance
130	pas vraiment	pas exactement, pas à proprement parler
132	aller jusqu'à	ne pas hésiter à
134	gérer	organiser, diriger
135	au contraire de	contrairement à
136	la sûreté	la sécurité
137	ne pas se limiter à	dépasser
143	inquiétude	anxiété, angoisse, peur
143	traduire	exprimer, formuler
144	dans la bouche de	dite par, prononcée par
146	prendre à partie	s'attaquer à, interpeller
147	croupir	moisir
151	abuser	exagérer, aller trop loin
158	dépaysé	ressentir une différence, éprouver un changement

L'enfer de Béatrice

«EX-LIBRIS»
TF1, 22 h 45

Béatrice Saubin devait avoir 7 ans, elle ne sait plus, lorsqu'elle jeta contre le mur une poupée de velours et de taffetas rose, qui disait «Maman» quand elle la berçait et dont les yeux s'ouvraient, puis se fermaient doucement. Poupée de chiffon brisée, elle éclata en sanglots, sa mère venait de disparaître encore, comme à chacun de ses anniversaires, l'abandonnant aux bons soins de sa grand-mère entre les grands murs blancs d'une maison de Romilly-sur-Seine. Souvenirs d'enfance et de silences, la tendresse en capilotade et l'adolescence rebelle, où la mélancolie se soigne au Valium, où les premiers émois se lisent dans les Fleurs du mal. Paumée, jetée de bras en bras, petite fille boulet. Béatrice Saubin se retrouve vite loin, fuyant à toutes jambes une réalité dans laquelle elle n'a pas sa place, cherchant sur la route l'oubli et l'ivresse impalpable d'un monde possible. Istambul, Téhéran, Kaboul, puis l'Orient, la plénitude, l'exaltation enfin. Quelques mois plus tard, à Penang,

Malaisie, le regard sombre d'un homme, un Chinois. Eddy Tan Kim Soo, «négociant en Europe», va la faire chavirer. Dans l'après-midi du 27 janvier 1980, alors qu'elle s'embarque pour Zurich. Béatrice Saubin, 20 ans, est arrêtée par la police malaise, en possession d'une valise verte bourrée de plus de cinq kilos d'héroïne pure. Elle a beau hurler son innocence, elle sera condamnée à mort deux ans plus tard. En France, la presse se mobilise. Me Paul Lombard sauve sa tête, la cour d'appel malaise commue son châtiment en détention à perpétuité.

Bénéficiant d'une remise de peine, Béatrice Saubin a été libérée, il y a huit mois, à 31 ans. Pendant quelques jours, sa silhouette légère aux yeux dissimulés derrière des lunettes noires a fait la «une» des journaux, on entendit le son de sa voix un jour sur Antenne 2, puis plus rien, et le silence. Aujourd'hui, Béatrice Saubin raconte son histoire dans un livre, l'Épreuve. Son enfance et les quatre mille jours de sa vie passés dans les geôles de Malaisie. Dix ans en trois cents pages, pour dire vite, et essayer d'oublier. Raconter la descente aux enfers, les coups bas et les bas-fonds, les vagues de l'angoisse, et l'inquiétude, l'humiliation, l'oubli de soi. Un livre-témoignage, un document brut, presque détaché à force d'avoir lutté pour s'en sortir, pour qu'on ne lui vole pas sa vie. Les mots d'une petite fille meurtrie, les souffrances d'une femme grandie trop vite, et outragée. De l'extérieur, on ne voit rien, la casse sait se faire invisible. Mais à l'intérieur, c'est le vide, seuls ses amis savent.

Marion Lévy

L'Événement du Jeudi, 30 mai au 5 juin 1991

BÉATRICE SAUBIN

Dix ans d'enfer malais à raconter

Béatrice Saubin a quitté la France à 20 ans. Elle la retrouve aujourd'hui à 30 ans. Entre les deux : son arrestation à l'aéroport de Penang (Malaisie) avec 534 grammes d'héroïne, sa condamnation à mort, finalement commuée en détention à vie, et ses dix ans de captivité. Dès son retour en France, en octobre dernier, Béatrice Saubin a choisi le silence. Elle est d'abord partie se reposer quelques jours sur la Côte d'Azur, dans une villa prêtée par son avocat, Me Paul Lombard. Elle a préféré ne pas retourner vivre chez sa grand-mère, qui l'avait élevée à Romilly-sur-Seine (Aube) : elle s'est contentée de lui offrir un système très perfectionné de chauffage pour son petit intérieur. Aujourd'hui, Béatrice Saubin vit à Paris chez des amis. Elle tient à rencontrer, une à une, toutes les personnes qui l'ont soutenue publiquement durant sa longue détention. C'est ainsi qu'elle a récemment fait la connaissance de Didier Decoin, le romancier qui s'était inspiré de son histoire pour écrire «Béatrice en enfer».

Béatrice Saubin a décidé de consacrer sa vie à la lutte contre la drogue. Elle est déjà en contact avec plusieurs organisations humanitaires. Mais le plus important n'est peut-être pas là : depuis un mois, Béatrice Saubin s'enferme dix heures par jour et écrit. Sur son expérience de la réclusion et sa condamnation à mort. Le récit devrait paraître à la rentrée chez Robert Laffont : l'éditeur voudrait faire coïncider cet événement avec le cinquantième anniversaire de sa maison d'édition.

Pour l'instant, personne n'a lu les pages raturées que Béatrice Saubin noircit avec détermination. Pourtant, des projets d'adaptation au cinéma atterrissent déjà régulièrement sur son bureau.

Le Point N° 954, 31 décembre 1990

Le retour de Béatrice

Elle a vingt ans quand elle est arrêtée à l'aéroport de Kuala-Lumpur, en Malaisie, avec 534 grammes d'héroïne dans sa valise. Elle a trente ans, dimanche 7 octobre 1990, quand elle arrive à l'aéroport de Roissy, accueillie par sa grand-mère, presque invalide, soixante-douze ans, qui a remué ciel et terre pour elle.

Elle s'appelle Béatrice Saubin. Elle est belle comme le jour. Elle est originaire de Romilly, dans ▶

l'Aube. Elle a passé dix ans dans les prisons de Malaisie. On ne plaisante plus dans ce pays-là avec la drogue.

Elle l'a échappé belle, Béatrice. Elle était condamnée à mort par pendaison. Elle a failli avoir la corde au cou. Elle a vu sa peine commuée en détention à vie «parce qu'elle était une prisonnière modèle». Elle est libre aujourd'hui. Elle dormait, ce lundi matin, dans l'appartement de sa grand-mère à Romilly.

Coupable ou innocente, on ne le saura sans doute jamais. Un étudiant chinois, dont elle était tombée amoureuse, aurait glissé la drogue dans sa valise. Elle avait vingt ans, c'était en 1980. Elle voulait vivre d'une façon intense, absolue, en faisant un petit peu n'importe quoi.

Par bonheur, des gens, des gens de France, se sont intéressés à elle. Parce qu'il faudrait les citer tous – des avocats, des juges, des diplomates, des romanciers, des journalistes, – on n'en citera aucun. Dix ans d'aller-retour en Malaisie. Dix ans de combat, pour le sauvetage, pour la sauvegarde d'une vie.

M.C.

Le Monde / 9 octobre 1990

LIRE

POUR RÉSUMER

Le texte et vous

1. À partir des indications ci-dessous, choisissez et lisez l'article qui vous attire le plus. Donnez les raisons de votre choix.

L'enfer de Béatrice

Béatrice Saubin devait avoir 7 ans, elle ne sait plus, lorsqu'elle jeta contre le mur une poupée de velours et de taffetas rose, qui disait «Maman» quand elle la berçait et dont les yeux s'ouvraient, puis se fermaient doucement.

L'Événement du jeudi
30 mai au 5 juin 1991

BÉATRICE SAUBIN
Dix ans d'enfer malais à raconter
Béatrice Saubin a quitté la France à 20 ans.

Le Point N° 954,
31 décembre 1990

Le retour de Béatrice
Elle a vingt ans quand elle est arrêtée à l'aéroport de Kuala-Lumpur, en Malaisie, avec 534 grammes d'héroïne dans sa valise.

Le Monde
9 octobre 1990

Vous et le sujet du texte

2. Lisez rapidement les trois articles et dites dans quelle rubrique de journal ou de magazine vous les placeriez.

3. Qu'est-ce qui vous permet d'affirmer qu'au moment où ces articles sont parus dans la presse, le nom de Béatrice Saubin n'était pas inconnu des français ?

4. En tant que lecteur étranger, quel est l'article qui vous informe le mieux ?

L'auteur, le texte et vous

5. À votre avis, la différence de contenu entre les trois articles est plutôt due :
- à la personnalité des journalistes ?
- à la date de parution de chaque article ?
- à la nature de chaque publication (Le Monde, L'Événement du jeudi, Le Point) ?

6. Quel est l'article le moins centré sur le personnage de B. Saubin ? Cela vous surprend-il ? Pourquoi ?

Distinguer...

7. Les événements.
Faites le récit oral, des événements suivants : arrestation, condamnations successives, libération, retour, écriture, sortie du livre.
Situez les faits dans le temps et dans l'espace et précisez les circonstances.

8. Les protagonistes.
Faites la liste des personnes, ou des groupes, mentionnés dans les trois articles et précisez leur rôle.

9. Les thèmes.
Tous les thèmes ci-dessous sont-ils présents dans l'un des articles ? Lequel ? Dites ce qui vous permet de répondre.

– abandon	– famille	– lutte contre la drogue
– amitié	– fuite	– gratitude
– culpabilité	– innocence	– salut, rédemption
– engagement	– littérature	– solidarité
		– solitude

RÉSUMER

POUR QUI ?

10. Vous venez de recevoir la lettre dont voici un extrait :

Cher..., (Chère...)
«...

Je viens de tomber, par hasard, sur un vieil article de presse à propos d'une jeune française, arrêtée et condamnée à mort, en Malaisie, pour une affaire de drogue. Tu sais que je m'intéresse à ces problèmes. Quelqu'un m'a dit qu'elle s'en était sortie. Je suis sûr que tu as suivi cette affaire. Dans ta prochaine lettre, peux-tu me dire ce qu'il en est ? J'aimerais bien savoir, également, comment la presse française a couvert ces événements.
...»

En utilisant les informations dont vous disposez, grâce aux articles du Monde, de l'Evénement du jeudi et du Point, répondez à votre ami(e).

11. Pour organiser le contenu de votre lettre, appuyez-vous sur les activités 7, 8 et 9.

12. Pour varier vos formulations, aidez-vous du tableau «Dire autrement» (pp. 18 et 19).

ÉVALUER

13. Pour améliorer votre production, concentrez-vous successivement sur les points suivants :

1. La lettre est-elle adaptée à la situation de communication : relation amicale, sujet sérieux auquel le destinataire attache beaucoup d'importance ?
2. Les informations que vous donnez permettent-elles à votre ami de se faire une idée :
   – de la chronologie des événements,
   – de l'histoire personnelle et de l'évolution de B S,
   – de la façon dont la presse et les médias, en général, ont parlé de cette affaire ?
3. N'avez-vous pas déformé le sens des articles ?
4. Les phrases et les paragraphes s'enchaînent-ils sans rupture de sens, ni répétitions inutiles ?
5. Les termes que vous avez choisis sont-ils les plus adaptés ?
6. Les phrases sont-elles correctement construites ?
7. Pour vous assurer de la clarté de votre lettre, imaginez les questions que votre ami aimerait vous poser pour être certain d'avoir bien compris. Puis, intégrez à votre lettre les réponses que vous lui donneriez.
8. Vérifiez l'orthographe, la correction grammaticale et la ponctuation.

Commenter, c'est préciser

1. Des trois articles, quel est celui qui ne fait pas allusion à l'innocence ou à la culpabilité éventuelle de B. Saubin ?

2. Le rôle joué par la grand-mère est-il décrit de la même façon dans les trois articles ?

3. À quelle catégorie d'émission télévisée appartient «Ex-libris» ? Connaissez-vous des émissions comparables ?

Commenter, c'est donner son point de vue

... sur la qualité des articles

4. Quel est l'article que vous avez trouvé :
– le plus facile à lire ? Pourquoi ?
– le plus difficile à lire ? Pourquoi ?

5. Si vous ne deviez conserver que deux articles sur ce sujet, lequel élimineriez-vous ? Pourquoi ?

... sur le contenu des articles

6. L'ensemble de ces articles fait de B. Saubin un personnage sympathique : quels moyens les journalistes utilisent-ils pour produire cet effet ?

7. Que pensez-vous du mouvement de solidarité qui s'est développé en France pour sauver cette jeune fille ?

8. L'article de l'Événement du jeudi contient-il des commentaires d'ordre littéraire ? Lesquels ?

9. Aimeriez-vous lire «L'Épreuve» ? Pour quelles raisons ?

Commenter, c'est comparer des cultures

10. On ne plaisante plus dans ce pays-là avec la drogue. Que savez-vous de la répression contre la drogue dans les pays que vous connaissez ?

11. Avez-vous eu connaissance par les médias de cas plus ou moins comparables à celui-ci ? Parlez-en.

Débattre, c'est parfois s'opposer

12. Réagissez à ces affirmations. Exposez et défendez votre point de vue, face à un interlocuteur qui s'oppose systématiquement à vous.

a. Un jeune qui voyage seul s'expose à de graves dangers.
b. On devrait faire lire le livre de B. Saubin dans les lycées.
c. Tous les délinquants ont eu une enfance malheureuse.
d. À mon avis, elle accepte trop vite que l'on fasse un film sur sa vie.
e. Le retour de cette jeune fille n'est qu'un fait divers ! Je ne comprends pas qu'un journal aussi sérieux que Le Monde y consacre un article.

LE MONDE

11	invalide	impotente
12	remuer ciel et terre	tout faire pour, se démener pour
15	belle comme le jour	très belle
20	on ne plaisante pas avec	c'est grave, c'est sérieux
23	l'échapper belle*	échapper de justesse à un danger
39	glisser	mettre discrètement dans, cacher

43	intense	fort, plein
43	absolu	entier, sans concession
46	par bonheur	heureusement
48	s'intéresser à	s'occuper de, se soucier de
56	le sauvetage	le salut
56	la sauvegarde	la défense, la protection

LE POINT

8	finalement	en définitive, en fin de compte
10	la captivité	la détention, la réclusion
15	prêter	mettre à la disposition de
19	élever un enfant	s'occuper de façon permanente
20	se contenter de	se limiter à, s'en tenir à
21	perfectionné	sophistiqué, moderne
22	son intérieur	son logement
25	tenir à	vouloir absolument
27	soutenir	prendre la défense de, se mobiliser pour
29	récemment	dernièrement
35	consacrer sa vie à	se dévouer à, donner comme but à sa vie
47	coïncider	correspondre
51	raturer	corriger, modifier au brouillon
52	noircir des pages	écrire longuement
52	avec détermination	avec persévérance, de façon décidée
54	atterrir régulièrement	s'accumuler, aboutir en nombre

L'ÉVÉNEMENT DU JEUDI

8	briser	casser, disloquer
8	éclater en sanglots	fondre en larmes
9	disparaître	partir, quitter
12	aux bons soins de	à la garde de, aux mains de, confié à
17	rebelle	révolté, indocile
17	la mélancolie	la tristesse, la déprime
18	un premier émoi	une émotion sensuelle
20	paumé*	perdu, sans repère
21	un boulet	une charge, un poids
24	ne pas avoir sa place	se sentir de trop
25	impalpable	insaisissable, vague
28	la plénitude	l'intensité, la satisfaction
28	une exaltation	une euphorie
33	faire chavirer	séduire
34	s'embarquer	prendre l'avion
38	bourrer	remplir
42	se mobiliser	prendre la défense de
46	bénéficier de	profiter de
49	légère	discrète, fragile
50	dissimuler	cacher
51	faire la une	être en première page, faire parler de soi
58	geôle	prison
62	un coup bas	une méchanceté, une attaque sournoise
62	les bas-fonds	la fange, un lieu immonde
63	une vague d'angoisse	une crise, une poussée
64	une humiliation	un avilissement, un affront
66	brut	sans fioritures
66	détaché	sans émotion, froid, objectif
67	s'en sortir	se sauver, se tirer d'affaire
69	meurtrir	blesser durablement
71	outrager	offenser, bafouer
72	la casse*	les dégâts, les blessures.

SCIENCES • MEDECINE

Quatre-vingt-dix ans de Nobel

Récompenser les progrès de la science pour favoriser la paix : l'idéal du fondateur des célèbres prix est resté une utopie

ALFRED NOBEL a créé dans son testament les prix prestigieux qui portent son nom et qui sont remis tous les 10 décembre depuis 1901 pour que la *« connaissance »* se répande. Il avait profondément foi et espoir dans l'avenir de l'humanité : *« Répandre la connaissance est répandre la prospérité – je veux dire la prospérité vraie, par les richesses individuelles, – et avec la prospérité, le mal [...] disparaîtra en grande partie. Les conquêtes de la recherche scientifique [...] instilleront en nous l'espoir que les microbes, ceux de l'âme comme ceux du corps, seront peu à peu exterminés et que la seule guerre dans laquelle l'humanité s'engagera sera la guerre contre ces microbes. »*

Alfred Nobel, en écrivant ces lignes dans son testament du 27 novembre 1895, témoignait d'un idéalisme et d'une confiance dans l'homme que les deux guerres mondiales – et quelques autres – ont cruellement démentis.

Henri Bergson, dans son discours de réception du prix de littérature le 10 décembre 1928, s'est montré beaucoup plus réaliste et clairvoyant : *« Si le dix-neuvième siècle a donné un merveilleux essor aux inventions mécaniques,. [Nobel] a cru que ces inventions [...] élèveraient le niveau moral du genre humain. L'expérience a montré, au contraire, [...] qu'un accroissement des moyens matériels dont l'humanité dispose peut présenter des dangers s'il n'est pas accompagné d'un effort spirituel correspondant. »* Et Bergson est mort en 1941...

Tout, ou presque, dans la vie d'Alfred Nobel est fait de ce genre de contrastes. Il était foncièrement pacifiste et idéaliste. Mais il a fait son énorme fortune en travaillant dans la chimie et la fabrication des explosifs ; c'est lui qui a inventé la dynamite, et son plus jeune frère ainsi que quatre autres personnes ont été tués en 1864 dans l'explosion de sa première usine suédoise. Il avait une foi bien ancrée dans l'humanité. Mais il a toujours vécu mélancolique et solitaire – les deux amours qu'on lui connaît et qu'il espérait transformer en mariage heureux ont été déçu.

Alfred Nobel est né le 21 octobre 1833 à Stockholm d'un père inventeur et industriel (déjà les explosifs !) qu'une faillite a obligé à s'expatrier à Saint-Pétersbourg de 1842 à 1863 Enfant fragile, il a été instruit « à la maison» par des précepteurs qui lui ont appris beaucoup de chimie et... cinq langues. Dès 1864, il a commencé a déposer des brevets, trois cent cinquante-cinq en tout au cours de sa vie, concernant divers explosifs et aussi des matériaux synthétiques, une méthode de télécommunication, des systèmes d'alarme, etc. Il a créé des laboratoires en Allemagne, en France, en Grande-Bretagne, en Italie, en Suède ainsi que quatre-vingt-dix usines et sociétés dans vingt pays des cinq continents. Il avait aussi, avec deux de ses frères qui étaient restés en Russie, de gros intérêts dans les champs pétroliers de la région de Bakou et dans les usines fondées par son père dans l'empire tsariste.

Inventeur et financier

Nobel était tout à la fois un scientifique doué d'une inventivité remarquable et un homme d'affaires très avisé doté d'un très grand sens

de l'anticipation financière à l'échelle mondiale. Il a bâti ainsi une fortune estimée le jour de sa mort solitaire, le 10 décembre 1896 à San-Remo (Italie), à 33 millions de couronnes répartis dans huit pays européens.

Le 27 novembre 1895, Alfred Nobel signait à Paris son fameux testament instituant cinq prix annuels égaux (en physique, chimie, physiologie-médecine, littérature défense de la paix) alimentés par les revenus de sa fortune confiée à la Fondation Nobel, un organisme non gouvernemental et indépendant dont la gestion, très remarquable, a permis d'abord de maintenir à peu près le montant des prix (150 800 couronnes en 1901 pour chacune des disciplines désignées), puis, depuis une trentaine d'années, de beaucoup en augmenter le montant 226 000 couronnes en 1960, 880 000 en 1980, 2 000 000 en 1986, 4 000 000 en 1990 et 6 000 000 en 1991 (1).

Alfred Nobel avait précisé que les lauréats des prix de physique et de chimie seraient désignés par l'Académie royale des sciences suédoise, celui du prix de physiologie-médecine par le Karolinska Institute de Stockholm, celui de littérature par l'Académie de Suède et celui du prix de la paix par le Storting (Parlement) norvégien (2). Ces désignations sont l'aboutissement de longues sélections qui sont faites partout dans le monde par des comités de personnalités hautement compétentes et parmi lesquelles choisissent des comités suédois ou norvégien spécialisés.

En 1968, la Banque de Suède a décidé de créer, à l'occasion de son troisième centenaire, un sixième prix, de sciences économiques, « à la mémoire de Nobel », prix qui a été décerné la première fois en 1969. Le lauréat est aussi désigné par l'Académie royale des sciences de Suède. Le montant de ce prix est égal à celui des cinq autres prix, mais l'argent est donné par un fonds spécial de la banque.

L'ouverture du testament d'Alfred Nobel, en janvier 1897, a soulevé toute une série de problèmes. La rédaction du document avait été faite par lui seul sans consultation d'hommes de loi : le testament n'était donc pas rédigé dans toutes les formes légales souhaitables. Alfred Nobel avait toujours beaucoup voyagé ; ses domiciles et ses biens étaient disséminés dans plusieurs pays européens : de longues discussions ont été nécessaires avant que tout le monde se mette d'accord pour transférer les capitaux en Suède et établir à Stockholm le siège de la fondation. Plusieurs de ses neveux ont essayé de récupérer tout ou partie du fabuleux héritage...

Même en Suède, l'opinion et la presse n'étaient pas d'accord sur la mise en œuvre des dispositions testamentaires de Nobel. Finalement, ce n'est que le 29 juin 1900 que furent légalement créées la Fondation Nobel (qui a une branche norvégienne) et les institutions chargées de décerner les prix.

Depuis 1901, les prix sont remis aux lauréats (ou à leur représentant) le 10 décembre de chaque année, c'est-à-dire le jour anniversaire de la mort d'Alfred Nobel. Les deux guerres mondiales ont été des années peu fournies en lauréats, mais il y en a eu quelques-uns. Il arrive aussi que les comités de désignation ne trouvent pas le candidat idéal. Ou bien le prix sans titulaire est attribué l'année suivante, ou bien son montant retourne à la Fondation Nobel.

On ne peut proposer sa propre candidature, pas plus qu'un lauréat peut ne pas figurer sur les listes des Prix Nobel. Figurent ainsi sur ces listes, les Allemands Richard Kuhn et Gerhard Domagk contraints par Hitler à refuser les prix de chimie de 1938 et de physiologie-médecine de 1939 (3), le Soviétique Boris Pasternak, obligé par les autorités soviétiques de décliner le Prix de littérature de 1958, le Français Jean-Paul Sartre et le Nord-Vietnamien Le Duc Tho, qui ont refusé leur prix respectif de littérature en 1964 et de la paix en 1973.

« Le Temps », drôle sans le vouloir

Pendant plusieurs décennies, l'attention du public français a été très inégalement attirée sur les prix Nobel, comme en témoigne *Le Temps* (jusqu'en 1939). L'attribution du premier prix de littérature à Sully Prudhomme en 1901 a été l'occasion de toute une série d'articles dithyrambiques dont le style fait actuellement sourire.

...

En 1903, en revanche, *Le Temps* cite seulement, parmi les autres lauréats, les noms des trois Français (H. Becquerel, P. et M. Curie) lauréats du prix de physique : le journal du 11 décembre intervertit même les prix de physique et de chimie ! Même laconisme pour le prix de chimie de Marie Curie de 1911 et encore plus de sécheresse pour celui de chimie de Frédéric et Irène Joliot-Curie de 1935.

Dieu merci, depuis plus de trente ans, *Le Monde* et les autres journaux consacrent de longs articles explicatifs – et moins lyriques – aux prix Nobel, y compris à ceux qui honorent des scientifiques.

YVONNE REBEYROL

Le Monde, 11 décembre 1991

---

(1) Les montants des prix équivalent environ à 200 000 francs en 1901 (3,40 millions de francs 1990), 215 000 francs en 1960 (1,5 million de francs 1990), 871 000 francs en 1980 (1,6 million de francs 1990),1,9 million de francs en 1986 (2,14 millions de francs 1990), 3,65 millions de francs en 1990, 5,6 millions de francs en 1991.

(2) La Norvège était alors unie à la Suède mais avait son Parlement particulier. La Norvège est devenue indépendante en 1905, et son Storting a continué à décerner les prix de la paix.

(3) Furieux du prix de la paix, décerné en 1935 au journaliste pacifiste Carl von Ossietzky, Hitler avait pris en 1937 un décret interdisant à tous les Allemands d'accepter un prix Nobel.

LIRE POUR RÉSUMER

Le texte et vous

1. D'après son titre et son sous-titre, cet article est-il plutôt :
– un portrait des lauréats des Prix Nobel ?
– une présentation des progrès scientifiques récompensés par le Prix Nobel ?
– autre ?

Vous et le sujet du texte

2. D'après le titre de la rubrique «Sciences-Médecine», on pourrait penser que les Prix Nobel récompensent exclusivement des chercheurs travaillant dans ces deux domaines.
Vos connaissances vous permettent-elles de rectifier cette erreur d'interprétation ? Vérifiez en parcourant rapidement le texte.

3. Pouvez-vous citer quelques lauréats d'un Prix Nobel ?

L'auteur, le texte et vous

4. Après avoir lu la première phrase de chaque paragraphe répondez aux questions suivantes :

a. Dans quels paragraphes la journaliste donne-t-elle des informations :
– sur les motivations d'Alfred Nobel ?
– sur sa vie ?
– sur l'histoire du testament ?
– sur l'historique et le fonctionnement des Prix Nobel en tant qu'institution ?
– sur l'évolution de l'attitude de la presse française à l'égard des Prix Nobel ?

b. Dans quels paragraphes développe-t-elle le thème de l'utopie annoncé dans le sous-titre ?

c. Dans quels paragraphes exprime-t-elle une opinion personnelle ? Laquelle ?

5. Globalement, cet article est-il plutôt anecdotique, historique, polémique ou scientifique ?

RÉSUMER POUR QUI ?

6. Dans le but d'encourager la lecture de sa rubrique scientifique, «Le Monde», en collaboration avec une station de radio, organise un concours radiophonique dont le thème général est : «Progrès scientifique et progrès moral de l'humanité». Pendant 10 minutes, les candidats sont interrogés sur le contenu d'un article du Monde tiré au sort parmi les numéros de l'année 1991.
Ayant décidé de participer à ce concours, vous vous préparez en groupe, en prenant comme exemple l'article du 11 décembre 1991, «Quatre-vingt-dix ans de Nobel».

7. Imaginez 20 questions que le jury pourrait vous poser.

8. En vous appuyant sur le contenu de l'article, préparez les réponses que vous donneriez.

9. Pour être précis, tout en variant vos formulations, consultez le tableau «Dire autrement» (p. 25).

10. Enregistrez la simulation du concours radiophonique et apportez-y les améliorations nécessaires.

11. Lors du concours, vous avez eu la chance de tomber sur l'article que vous aviez le mieux préparé. Vous avez gagné le premier prix. Un magazine pour les jeunes de 13 à 18 ans vous demande d'écrire un article informatif sur votre expérience. L'article doit être deux fois plus court que celui du Monde.

12. Dans cet article, vous devez :

a. Expliquer pourquoi vous avez participé à ce concours
b. Raconter comment vous vous êtes préparé
c. Raconter comment s'est déroulé le concours
d. Résumer le contenu de l'article du Monde sur lequel vous avez été interrogé.

13. Pour faire le plan de la partie «résumé» de votre article, appuyez-vous sur l'activité n° 4.

14. Efforcez-vous de vous limiter au contenu global. Entraînez-vous en rassemblant en deux phrases les éléments biographiques relevés dans le paragraphe 5 (lignes 65 à 91) : naissance, jeunesse, éducation, inventeur, entrepreneur, homme d'affaires, cosmopolite.

15. Efforcez-vous de trouver des formulations plus générales et plus abstraites, qui restent cependant précises et accessibles à de jeunes lecteurs.
Exemple :
lignes 139 à 150 :

En 1968, la Banque de Suède a décidé de créer, à l'occasion de son troisième centenaire, un sixième prix, de sciences économiques, « à la mémoire de Nobel », prix qui a été décerné la première fois en 1969. Le lauréat est aussi désigné par l'Académie royale des sciences de Suède. Le montant de ce prix est égal à celui des cinq autres prix, mais l'argent est donné par un fonds spécial de la banque.

peut être reformulé par :

En 1968, la Banque de Suède crée le prix de sciences économiques. Seul son financement, assuré par la banque elle-même, le distingue des autres prix.

16. Vous pouvez commencer le récit au présent :

En 1895, quand il rédige son testament, ... Il passe sa jeunesse à... C'est un homme paradoxal...

ou au passé :

En 1895, quand il a rédigé son testament, ... Il a passé sa jeunesse à... C'était un homme paradoxal...

Quel que soit votre choix, soyez attentif aux temps que vous utiliserez dans la suite de l'article.

ÉVALUER

17. Améliorez votre production en concentrant successivement votre attention sur :

a. Les risques de mauvaise compréhension par un jeune lecteur.
b. La clarté des enchaînements.
c. La sélection des informations, pour la partie résumé.
d. La correction grammaticale et notamment le choix des temps.
e. Le vocabulaire et la syntaxe.
f. La longueur.
g. L'orthographe et la ponctuation.

COMMENTER

Commenter, c'est préciser

1. À l'aide de la note n° 1, évaluez ce que représente le montant actuel des prix, dans la monnaie de votre pays.

2. Pourquoi a-t-on choisi le 10 décembre pour la remise annuelle des prix ?

3. Pour quelle raison le parlement norvégien joue-t-il un rôle dans l'attribution des prix ?

Commenter, c'est donner son point de vue

... sur la qualité de l'article

4. Le sous-titre annonce-t-il fidèlement le contenu de l'article ? Quelle est sa fonction ?

5. Quelles questions vous posez-vous encore sur les Prix Nobel ? À votre avis, la journaliste du Monde aurait-elle dû y répondre dans son article ? Pour quelles raisons ?

... sur le contenu de l'article

6. D'après vous, Alfred Nobel mérite-t-il sa notoriété ?

7. Que pensez-vous de la première attitude de la presse française à l'égard des prix Nobel ?

Commenter, c'est comparer des cultures

8. Jusqu'à ce que vous lisiez cet article, le prix Nobel évoquait-il plutôt pour vous la recherche scientifique, la littérature ou la défense de la paix ?

9. Quelle place occupent les prix Nobel dans la presse de votre pays ?

Débattre, c'est parfois s'opposer

10. Réagissez à ces affirmations. Exposez et défendez votre point de vue face à un interlocuteur qui s'oppose systématiquement à vous.

a. Henri Bergson avait tort : en réalité, les progrès scientifiques ont élevé le niveau moral de l'humanité.
b. Alfred Nobel était une personne très sympathique.
c. La paix n'a aucun rapport avec la recherche scientifique.
d. Il est inimaginable que le siège de la fondation Nobel puisse se trouver ailleurs qu'à Stockholm.
e. Il est tout à fait normal que les lauréats des prix Nobel reçoivent de l'argent.

2	a créé dans son testament	a légué à l'humanité, a laissé en héritage
5	remettre un prix	décerner, attribuer
10	répandre	diffuser, propager
11	prospérité	bien-être, santé, aisance, bonheur
15	conquêtes	succès, progrès
16	instiller	insinuer, imprégner, éveiller
20	exterminer	anéantir, faire disparaître
21	s'engager dans	entreprendre
26	témoigner de	faire preuve de
27	idéalisme	optimisme, volontarisme, confiance, croyance
30	démentir	contredire, infirmer, dénier
35	clairvoyant	lucide, perspicace, réaliste
36	essor	accélération, développement, poussée, progression
45	spirituel	de l'esprit, moral
50	contraste	contradiction, paradoxe
59	ancré	solide, ferme
61	mélancolique	triste, sombre
64	amour déçu	amour malheureux
68	faillite	banqueroute, échec
69	s'expatrier	s'établir dans un pays étranger
70	fragile	délicat, maladif
71	instruit	formé, scolarisé
72	un précepteur	un maître, un enseignant, un pédagogue
80	créer	fonder, monter, ouvrir
94	avisé	habile, averti
94	doté de	pourvu de, doué pour
95	anticipation	prévision
100	réparti	disséminé
103	fameux	célèbre
107	alimenté	financé
108	revenus	bénéfices, intérêts
111	remarquable	excellente, irréprochable
122	préciser	dire explicitement, clairement
132	aboutissement	résultat
153	soulever	entraîner, provoquer, faire surgir
159	souhaitable	voulu
161	disséminé	dispersé
163	une discussion	une polémique
169	récupérer	recouvrer, s'approprier, entrer en possession de
170	fabuleux	extraordinaire, formidable, immense
171	l'opinion	l'opinion publique
173	mise en œuvre	application, réalisation
181	un représentant	un délégué, un mandataire
186	peu fourni en	pauvre en, maigre en
196	figurer sur	être mentionné sur
199	contraint	obligé, forcé
207	refuser	décliner
212	attirer l'attention	éveiller l'intérêt
213	témoigner de	indiquer, révéler, attester
218	dithyrambique	très élogieux
225	intervertir	confondre
227	laconisme	brièveté
229	sécheresse	froideur, indifférence
232	Dieu merci !	heureusement, par bonheur
234	consacrer	accorder, réserver
235	lyrique	passionné, romantique

S O C I É T É

CONTREFAÇON

L'ONCE DE GÉNIE DES FAUSSES CARTES A PUCE

La fausse carte téléphonique conçue et fabriquée par deux étudiants nancéiens possède une mémoire inusable. Vendue mille francs pièce, son succès a aussi causé sa perte. La fraude a été décelée par le central des PTT et les inventeurs ont été inculpés.

Moi un génie de l'informatique ? Serge Lefèvre sourit, *l'an dernier j'ai été viré alors que je terminais ma première année de BTS à l'école d'électricien de Nancy. Je n'avais pas la moyenne. »* Pourtant ce jeune homme de 21 ans, aux allures de potache, a mis au point la contrefaçon de carte téléphonique la plus sophistiquée jamais réalisée. Elle présentait l'avantage de ne pas se décharger et, à 1000 francs pièce, faisait fureur sur le campus, plus particulièrement chez les étudiants des départements et territoires d'outre-mer.

Au mois de septembre des anomalies régulières décelées au central électronique des PTT à Nancy alertent les techniciens. D'autant que les recettes de certaines cabines n'apparaissent pas à la hauteur de leur utilisation.

Des inspecteurs de la sûreté urbaine planquent plusieurs jours devant les publiphones suspects. Le 27 septembre, ils interpellent un jeune Guadeloupéen qui téléphone au pays avec une carte étrange, d'un format supérieur à celui des cartes officielles. Remontant la filière, les enquêteurs arrivent dans une cabane de jardin transformée en appartement, que Serge Lefèvre loue à une vieille dame. C'est là qu'il pianote de longues heures sur un ordinateur acheté à crédit. *« L'informatique, c'est ma passion. »*

L'aventure commence il y a deux ans, quand un ami, Jean-Marc Vogel, 21 ans, étudiant également, lui amène un typon, sésame pour imprimer les plaques d'epoxy, matériau utilisé pour les cartes télécom. *« Au début je n'y pensais pas du tout. »* Mais peu à peu Lefèvre se passionne et plonge à corps perdu dans les revues techniques. Il conçoit tandis que son comparse plus manuel confectionne. Après des semaines de travail et de recherche, ils mettent au point un prototype. Les tests s'avèrent satisfaisants. Ils se piquent au jeu et fabriquent en série. *« Il me fallait une journée par carte, et chacune me coûtait entre 300 et 400 francs. »* Les bénéfices sont aussitôt réinvestis dans le matérial et les composants, en l'occurence des circuits imprimés en vente dans tout magasin de matériel électrique qui se respecte. *« Quand j'étais à l'école, tout le monde savait que je bossais là-dessus. Il y a même des professeurs qui m'en ont demandé. »*

Serge assure en avoir vendu une vingtaine seulement, toutes n'étaient pas opérationnelles. Mais le jeu devient dangereux. Le cercle des utilisateurs grandit, au delà des seules connaissances. La première alerte survient il y a environ un an, quand Jean-Marc Vogel démarche clandestinement le produit dans la

région de Colmar. Il aborde des militaires, des clients potentiels, qui sont en fait des policiers déguisés ayant eu vent du manège. Il leur soutient l'avoir acheté à un inconnu. Les policiers le croient et il s'en tire avec une inculpation de recel de contrefaçon. Mais la mésaventure jette un froid, Serge perd sa sérénité. *« Je me doutais qu'un jour ils remonteraient jusqu'à moi. »*

Il n'a guère été surpris quand la police a débarqué chez lui mardi vers 11 heures. Comme d'habitude il était assis à la console de son ordinateur. Quelques heures auparavant, l'étudiant guadeloupéen pris en flagrant délit de conversation téléphonique frauduleuse, a lâché le morceau. Il était le vendeur le plus assidu de la fausse carte. Il procédait parfois en abordant les gens dans la rue, ou même en diffusant des messages sur les ondes des cibistes. *« Quand Jean-Marc lui a vendu les cartes, je l'ai prévenu, avec lui on ne pouvait avoir que des problèmes. »* Serge Lefèvre et Jean-Marc Vogel sont placés pendant 36 heures en garde à vue. *« C'est vraiment dur de se retrouver dans une cellule. On se demande ce qu'il nous arrive. »*

Mardi soir, ils sont présentés devant le juge Gilbert Thiel, doyen des juges d'instruction au parquet de Nancy. Ils sortent de son bureau avec l'inculpation d'escroquerie de contrefaçon et d'infraction à l'article 37 de la législation des PTT et placés sous contrôle judiciaire. Mais un problème dans cette histoire préoccupe Serge par dessus tout : malgré le « bien » qu'on en dit, à l'usage, ses cartes se détériorent et il est peu probable que les policiers et les Télécoms lui permettent de perfectionner son œuvre.

Pierre DIDIER

Libération, 12 octobre 1990

LIRE POUR RÉSUMER

Le texte et vous

1. Observez rapidement le document .
Qu'avez-vous lu en premier lieu ? Le titre ? La signature ? Le dessin ? Le nom de la rubrique ? Le chapeau ? Le sur-titre ? Pour quelles raisons ?

Vous et le sujet du texte

2. Que savez-vous des cartes téléphoniques qui sont largement utilisées en France ?

3. À votre avis, cet article va-t-il vous fournir ?
– des explications sur l'utilisation des vraies cartes téléphoniques ?
– un portrait des faussaires ?
– le récit de leurs activités ?
– le récit de leur arrestation ?
– le récit de l'enquête policière ?
– les informations sur le préjudice financier subi par les PTT ?

L'auteur, le texte et vous

4. Lisez intégralement l'article de *Libération*.
Quels sont les termes qui décrivent le mieux l'attitude du journaliste à l'égard des principaux protagonistes de cette affaire ?

Accusation
Admiration
Humour
Indulgence
Ironie
Pitié
Réprobation
Sympathie

Précisez quels éléments du document vous permettent de choisir les termes les mieux adaptés.

5. Parmi les adjectifs suivants, lesquels utiliseriez-vous pour décrire :
– Serge Lefèvre,
– Jean-Marc Vogel,
– l'étudiant guadeloupéen ?

Acharné
Calme
Courageux
Curieux
De bonne foi
Déloyal
Fataliste
Fantaisiste
Génial
Gestionnaire
Imaginatif
Imprudent
Inconscient

Ingénieux
Ironique
Malhonnête
Malin
Modeste
Naïf
Passionné
Persévérant
Réaliste
Sérieux
Téméraire

Précisez quels éléments du document vous permettent de choisir les adjectifs les mieux adaptés.

RÉSUMER POUR QUI ?

6. Une étudiante nancéienne écrit à son petit ami qui se trouve pour quelques mois à l'étranger.
Complétez la lettre en y intégrant un résumé de l'article de Libération.

7. Pour rédiger le résumé, qui constituera la plus grande partie de la lettre, terminez les paragraphes, en vous appuyant sur la démarche proposée dans les activités 8, 9, 10 et 11.

Nancy, le ...

...

§1

Tu sais que je ne roule pas sur l'or, et pourtant tu ne t'es jamais étonné que je te téléphone tous les jours à ... . Malheureusement, c'est fini ! c'est trop dangereux ! Par bonheur, bientôt, nous serons de nouveau ensemble. Figure-toi que, pour 1 000 francs, j'avais acheté à un inconnu un carte téléphonique INUSABLE ! Je préférais ne pas me poser de questions sur sa provenance. Maintenant je sais tout car j'ai lu Libération, ce matin. Quelle histoire !

§2

Depuis, deux ans, des étudiants fous d'informatique ....

....

§3

Les maigres recettes de certaines cabines ont alerté les PTT, qui, à leur tour ont alerté la police ....

....

§4

Cela devait arriver, vu le succès grandissant de leur petit commerce ....

....

§5

Libération les présentent comme des ... Moi, je trouve qu'ils

....

§6

Finalement, les deux "génies" ont été arrêtés mais ce qui est incroyable, c'est la réaction de l'un d'entre eux . D'après Libération ....

....

§7

....

8. Dans les paragraphes 2, 3 et 4 de la lettre, efforcez-vous de reformuler et de condenser les séries d'actions détaillées que vous sélectionnez dans l'article. Pour cela, cherchez des termes ayant un sens plus global.
Par exemple, le troisième paragraphe de l'article peut se résumer ainsi :

La police découvre le modeste repaire de Serge Lefèvre grâce à un jeune homme surpris en flagrant délit.

9. De ces trois expressions, quelle est celle qui reformule globalement la série d'actions contenue dans les lignes 85 à 89 ?

- il commercialise les cartes,
- il prend des risques,
- il s'adresse à des inconnus.

10. Pour rédiger le cinquième paragraphe, aidez-vous de la liste d'adjectifs de l'activité n°5.

11. En utilisant les deux séries ci-dessous, construisez une phrase que vous pouvez intégrer au sixième paragraphe de la lettre, pour décrire la réaction de Serge Lefèvre :

– il regrette	– les «compliments» qu'on lui fait
– il déplore	– la mauvaise qualité de sa carte
– il refuse	– l'interruption de sa recherche

12. Terminez la lettre (§7) en tenant compte de la nature des relations entre les deux correspondants ainsi que de la situation.

13. Contrôlez et améliorez votre production en vous posant les questions suivantes.

La lettre :

1. Est-ce que la lettre répond aux questions que se pose certainement son destinataire à propos du silence de sa petite amie ?
2. Le ton de la lettre est-il adapté à la situation des deux correspondants ?
3. Le résumé de l'article est-il bien intégré à l'ensemble de la lettre ?
4. Les temps des verbes sont-ils bien choisis par rapport
   – au moment où l'étudiante écrit ?
   – à la chronologie du récit-résumé de l'article ?

Le résumé :

5. L'articulation entre les différents paragraphes est-elle visible et cohérente ?
6. La reformulation des informations données est-elle fidèle au sens de l'article ?

Commenter, c'est préciser

1. Décrivez le rôle respectif de Serge Lefèvre, de Jean-Marc Vogel et de l'étudiant guadeloupéen.

2. Cet article informe-t-il le lecteur sur les risques de poursuite judiciaire éventuellement encourus
- par l'étudiant guadeloupéen, en tant que vendeur de la carte ?
- par ses utilisateurs ?

3. Quels moyens les faussaires et le vendeur ont-ils utilisés pour élargir leur clientèle ?

Commenter, c'est donner son point de vue

... sur la qualité de l'article

4. Pensez-vous que le dessin et les titres soient adaptés au contenu de l'article ? Pour quelles raisons ?

5. Relisez les citations sélectionnées par le journaliste.
- pour le lecteur, quelle fonction remplissent-elles ?
- sont-elles bien placées dans le texte ?
- ont-elles toutes le même degré d'utilité pour la compréhension du texte ?

... sur le contenu de l'article

6. Attendiez-vous du journaliste :
- d'autres informations ? Lesquelles ? Pourquoi ?
- des jugements d'une autre nature sur les personnes impliquées dans cette affaire ?

Commenter, c'est comparer des cultures

7. Que savez-vous des lecteurs de Libération ?

8. À votre avis, cet article pourrait-il se trouver :
- dans «Le Monde» ? Pourquoi ? (voir les corrigés p. 91)
- dans un journal de votre pays ? Lequel ? Pourquoi ?

9. L'informatique a généré de nouveaux types de comportements malhonnêtes. En avez-vous connaissance ? Donnez un exemple significatif.

Débattre, c'est parfois s'opposer

10. Réagissez à ces affirmations. Exposez et défendez votre point de vue face à quelqu'un qui exprime systématiquement le point de vue contraire.

a. La carte à puce est une invention dangereuse.
b. On devrait réduire le nombre de cabines téléphoniques.
c. Les nouvelles technologies mènent à tous les excès.
d. Le téléphone devrait être gratuit.

TITRES

une contrefaçon	un faux, une imitation
une once de	un brin de
concevoir	imaginer, inventer
posséder	être doté de, pourvu de, équipe de
inusable	inaltérable, perpétuelle
une fraude	une escroquerie
déceler	découvrir

5	virer*	renvoyer, exclure, mettre à la porte
11	aux allures de	à l'air de
11	un potache*	un élève, un jeune étudiant
11	mettre au point	réaliser, fabriquer
13	sophistiqué	perfectionné
14	réaliser	mettre au point
14	présentait l'avantage	avait le mérite de
15	se décharger	s'user, s'altérer
16	faire fureur	remporter un succès fou
17	plus particulièrement	notamment
21	une anomalie	un défaut, une imperfection
21	régulier	chronique, répétitif
23	alerter	attirer l'attention
24	d'autant plus	surtout que, à plus forte raison que
26	être à la hauteur de	correspondre
28	planquer	surveiller, faire le guet
29	suspect	louche, douteux
30	interpeller	arrêter
32	étrange	bizarre, anormal
34	remonter la filière	suivre la piste, avancer dans une enquête
36	transformer	aménager
45	amener	apporter
45	sésame	clé, truc, solution
50	se passionner	s'enthousiasmer, s'adonner à
50	plonger à corps perdu	se lancer avidement
53	confectionner	fabriquer
56	s'avérer	se révéler
56	satisfaisant	positif, bon
57	se piquer au jeu	prendre goût à, être stimulé
63	en l'occurrence	dans ce cas précis, à savoir

65	qui se respecte	véritable, digne de ce nom
67	bosser*	travailler
70	assurer	affirmer
72	opérationnel	utilisable, capable de fonctionner, efficace
73	le cercle de	le nombre de
76	une alerte	un avertissement, une menace, un signe avant-coureur
76	survenir	se produire, avoir lieu
77	démarche	faire la promotion de, essayer de vendre
78	clandestinement	discrètement, sous le manteau
79	aborder	approcher quelqu'un, s'adresser à
80	potentiel	éventuel, possible
81	en fait	en réalité
82	avoir vent de	entendre parler de, être informé de
83	soutenir	affirmer, prétendre
84	s'en tirer avec	en être quitte pour
85	le recel	la possession illégale
87	jeter un froid	calmer l'enthousiasme
87	la sérénité	le calme, l'assurance, la tranquillité
89	remonter jusqu'à	trouver, aboutir
91	débarquer*	arriver sans prévenir
97	lâcher le morceau*	avouer la vérité
99	assidu	régulier
99	procéder	avoir comme méthode
109	se retrouver*	aboutir
121	préoccuper	inquiéter, ennuyer
123	se détériorer	s'abîmer, s'user
124	il est peu probable	il y a peu de chances, il est douteux
126	perfectionner	améliorer

SOURCES

Filles, encore un effort !

ALLEZ LES FILLES !
de Christian Baudelot
et Roger Establet,
Seuil, 244 p., 110 F.

Malgré les apparences, MM. Christian Baudelot et Roger Establet ne sont pas d'incorrigibles optimistes. Déjà en 1989, alors que se multipliaient les pamphlets pour dénoncer la faillite du système éducatif français, ils publiaient *Le Niveau monte*. Aujourd'hui, ils récidivent avec *Allez les filles !* et démontrent que l'institution scolaire, jugée archaïque par certains, inadaptée au monde du travail par d'autres, a réussi sans bruit une prouesse : permettre la mixité et par là même l'égalité entre garçons et filles. Certes, rien n'est gagné, car l'école apparaît décalée, en avance même, par rapport à la société civile, où l'égalité n'est pas assurée tant sur le plan de l'emploi que sur celui des mentalités.

L'affaire avait mal commencé. Ainsi, le 26 juillet 1883, le Mémorial d'Amiens affirme que *« les femmes savantes sont des exceptions, comme les femmes à barbe, mais plus rares »*. A la fin du dix-neuvième siècle, les candidates au baccalauréat font figure d'exceptions. Aux épreuves écrites de 1887, on repère deux robes sur une centaine de présents. Et encore la seconde était-elle une soutane (1) ! *« Pour l'instruction des femmes,* écrivent MM. Baudelot et Establet, *le grand siècle, c'est le vingtième. »*

En 1900, l'Université compte 624 étudiantes pour 27 000 étudiants. En 1971, elles rattrapent les garçons. En 1990, elles sont 520 000, soit 70 000 de plus que leurs camarades masculins. Durant cette période, la percée des filles au sein de l'institution scolaire est lente et régulière. Mais inexorable, alors que le développement de la scolarité masculine est sensible aux événements extérieurs, connaissant de brusques récessions lors des guerres et des crises économiques.

Meilleurs résultats au bac

Cet aspect quantitatif appelle une analyse plus fine. Dépouillant les résultats scolaires des élèves de la maternelle à l'université, les deux sociologues concluent que les filles l'emportent aujourd'hui sur les garçons aux quatre étages de l'édifice scolaire. Elles sont plus nombreuses à traverser l'école primaire dans les temps, quittent moins souvent l'enseignement général pour le professionnel ou l'apprentissage. Un garçon sur trois n'atteint pas la classe de quatrième, contre une fille sur cinq. Enfin, elles obtiennent de meilleurs résultats au baccalauréat, puisque 42 filles sur 100 l'empochent contre 32 % des garçons. Cet écart de dix points joue essentiellement dans les filières générales, d'où l'accès au dernier étage de la fusée : les étudiantes sont plus nombreuses que les étudiants.

Cette évolution n'est pas particulière à la France. Le phénomène est mondial, apparaissant dans des pays à niveau de développement comparable. Les statistiques ne portent pas trace des différences culturelles : ainsi, le Koweït et les Emirats arabes unis parviennent à des suprématies féminines remarquables. Inversement, le Japon, la Suède et l'Allemagne sont loin d'avoir égalisé les chances des filles et des garçons.

Cependant, la suprématie féminine, évidente dans l'accès à l'enseignement supérieur, n'a pas supprimé l'hégémonie des garçons, *« maîtres des filières techniques les plus prometteuses de pouvoir et de revenus »*. Nulle part les filles n'ont mis à bas cette domination. Même dans les pays où l'égalité d'accès à l'enseignement supérieur est le mieux assurée, les écarts d'orientation n'ont pas disparu. Pour MM.

Baudelot et Establet, *« les idées et les comportements n'ont pas suivi les transformations institutionnelles »*.

En France, contrairement aux garçons, les filles n'osent pas s'engouffrer dans la série scientifique C. Elles n'y représentent aujourd'hui qu'un tiers des élèves. La traditionnelle opposition entre littéraires et scientifiques s'incarne aujourd'hui dans un match filles-garçons. Ainsi, il y a plus de bachelières que de bacheliers, mais dans des filières littéraires dévaluées, alors que les garçons décrochent des bacs plus avantageux.

« Jamais les orientations ne sont à hauteur des réussites, indiquent les auteurs, *les mécanismes d'orientation sont toujours défavorables aux filles.* » En effet, l'idée classique selon laquelle elles seraient moins douées que les garçons pour les mathématiques n'est qu'un stéréotype. Elles obtiennent les mêmes résultats que leurs condisciples masculins en mathématiques au primaire, au collège et en seconde. Pourtant, elles sont moins nombreuses à s'orienter dans les séries scientifiques.

Pour MM. Baudelot et Establet, l'explication est culturelle : à résultats scolaires équivalents, les filles s'estiment moyennes ou mauvaises, les garçons excellents. Devant l'obstacle, elles hésitent et abdiquent. Elles organisent leur scolarité sur la base de valeurs et de modèles de comportement autour desquels elles ont été invitées à construire, très tôt, leur identité sociale. *« La partie se joue à trois : école, famille, entreprise »* concluent les auteurs. La première a permis la reconnaissance publique des capacités féminines. En matière de mixité, elle est un foyer d'innovation sociale, très en avance sur la famille et l'entreprise. MM. Baudelot et Establet dénoncent l'inertie des entreprises, incapables de promouvoir des modèles d'organisation compatibles avec les exigences de la vie familiale des femmes, dernier foyer de résistance.

Cette évolution est inéluctable, car, ainsi que le rappellent les deux sociologues, tout retour est impossible. Les crises économiques ont permis de tester la pérennité de cette évolution. Certes, le chômage a touché durement les femmes. Mais il n'y a eu ni retour des femmes au foyer, ni diminution de la population active féminine, ni encore régression de la mixité dans l'institution scolaire.

M. A.

Le Monde, 9 janvier 1992

---

(1) ***Histoire de la scolarisation des filles*, de Françoise Lelièvre et Claude Lelièvre, éditions Nathan, 272 p., 150 F.**

Le texte et vous

1. De quelle catégorie de texte de presse s'agit-il ?

2. Par le titre de son article, le (la) journaliste :
- contredit le titre du livre ?
- le développe ?
- l'explique ?
- le paraphrase ?

3. Pour cet article, imaginez d'autres titres possibles, qui aient la même fonction.

Vous et le sujet du texte

4. À la seule lecture des titres, cet article vous attire-t-il ? Pour quelles raisons ?

5. Dans le premier paragraphe, relevez les mots-clés qui informent sur les auteurs du livre et sur l'argumentation qu'ils développent.

6. Dans quel rayon de bibliothèque classeriez-vous l'ouvrage de C. Baudelot et R. Establet ?

L'auteur, le texte et vous

7. Quelle catégorie de personnes désigne habituellement le mot «fille» ? À quels mots s'oppose-t-il ?

8. Lisez la première phrase de chaque paragraphe et trouvez celle qui justifie le mieux que le titre du livre (et de l'article) interpelle directement les filles.

9. Lisez les neuf phrases ou expressions en italiques et identifiez leur origine respective.

10. Repérez les phrases dans lesquelles le (la) journaliste désigne les auteurs par leur nom ou par leur profession.

11. Parmi les formulations suivantes, choisissez celles qui traduisent le mieux la façon dont le (la) journaliste juge les deux auteurs du livre. Justifiez votre choix en vous appuyant sur le contenu du premier paragraphe.
- à contre courant
- cohérents
- courageux
- empêcheurs de tourner en rond
- objectifs
- persévérants
- pourfendeurs des idées reçues
- qui ont de la suite dans les idées
- réalistes
- stimulants

Distinguer

12. La partie se joue à trois : école, famille, entreprise (ligne 142).
Lisez l'article intégralement pour faire une liste des informations que vous donneriez, en priorité, à chacun des interlocuteurs suivants.
Ils ne connaissent ni l'article, ni le livre et vous pensez que le sujet les concerne directement.
1. un enseignant
2. un chef d'entreprise
3. une mère de famille
4. un père de famille
5. une fille en classe de 4e
6. un garçon en classe de 4e

13. Vous décidez d'utiliser le courrier des lecteurs de quatre publications différentes pour vous adresser directement :

– aux enseignants, dans la revue d'une de leurs associations,
– aux cadres et chefs d'entreprise, dans un magazine économique,
– aux parents, dans la revue d'une association de parents d'élèves,
– aux jeunes, dans un magazine pour les 10-15 ans.

14. Rédigez quatre lettres différentes dans lesquelles :
a. Vous vous présentez brièvement
b. Vous dites pourquoi l'article du Monde vous a incité à écrire au courrier des lecteurs
c. Vous faites un résumé sélectif de l'article, dans le but d'encourager les destinataires respectifs à lire «Allez, les filles !».

15. En vous inspirant du titre du livre et de l'article, donnez à chaque lettre un titre qui interpelle directement son principal destinataire.

16. Pour que votre lettre ait une chance d'être publiée, elle ne doit pas être trop longue, maximum un quart de la longueur de l'article.
Le tableau «Dire autrement» (pp. 36 et 37) peut vous aider à varier vos reformulations.

ÉVALUER

17. Afin d'améliorer vos productions, relisez chaque lettre en vous demandant :
1. si elle n'est pas trop longue,
2. si le ton et le niveau de langue sont adaptés au destinataire,
3. si le sens de l'article est fidèlement restitué,
4. si les arguments seront efficaces pour chaque catégorie de destinataire,
5. si l'argumentation progresse suffisamment, sans répétitions inutiles,
6. s'il n'y a pas de ruptures qui empêcheraient le lecteur de suivre le raisonnement,
7. si les articulations logiques et chronologiques sont apparentes : articulateurs, temps, paragraphes, guillemets, etc.,
8. imaginez les questions que le lecteur vous poserait pour mieux comprendre ce que vous avez voulu dire,
9. enfin, vérifiez la grammaire et l'orthographe.

COMMENTER

Commenter, c'est préciser

1. À partir de quelle année, en France, la proportion de garçons et de filles fréquentant l'Université a-t-elle été équilibrée ?

2. Quels sont les quatre étages du système scolaire français ?

3. Quelles sont les filières scolaires qui débouchent le plus largement sur les professions lucratives et socialement valorisées ?

Commenter, c'est donner son point du vue ... sur la qualité de l'article

4. Les données statistiques vous semblent-elles :
– trop ou pas assez nombreuses ?
– utiles ou inutiles à l'argumentation ?
Prenez des exemples significatifs.

5. L'ensemble de l'article est-il en relation directe avec son titre ? De quelle façon ?

6. Y a-t-il des passages qui vous semblent peu clairs ? Lesquels ? Comment pourraient-ils être améliorés ?

... sur le contenu de l'article

7. L'explication culturelle de l'inégalité d'orientation entre filles et garçons vous surprend-elle ? Pourquoi ?

8. De l'école, l'entreprise et la famille, quelle est l'institution qui vous paraît jouer le rôle le plus important dans l'orientation des filles ?

9. Cette évolution est inéluctable.
Partagez-vous ce point de vue ?

Commenter, c'est comparer des cultures

10. En quoi l'histoire de l'instruction des filles, en France, est-elle comparable à celle de votre pays ?

11. Dans votre pays y-a-t-il une forte proportion de femmes qui travaillent ? Donnez des détails.

Débattre, c'est parfois s'opposer

12. Que pensez-vous de ces affirmations ? Exposez et défendez votre point de vue face à un interlocuteur qui s'oppose systématiquement à vous.

a. En France, comme ailleurs, les femmes finiront par retourner au foyer.
b. En mathématiques, les garçons sont réellement plus doués que les filles.
c. Ce sont les femmes qui doivent s'adapter aux exigences de l'entreprise, et non le contraire.
d. On ne peut être, à la fois, littéraire et scientifique.
e. Un tel ouvrage est parfaitement inutile.

AUTREMENT

1	malgré	contrairement
3	incorrigible	impénitent, endurci, invétéré
4	optimiste	satisfait, naïf, idéaliste, utopiste
5	se multiplier	foisonner, abonder
6	dénoncer	signaler, divulguer, critiquer, réprouver
6	faillite	échec, fiasco, effondrement
9	récidiver	revenir à la charge, réitérer
10	démontrer	prouver, faire la démonstration
11	archaïque	dépassé, rétrograde, obsolète, anachronique
13	sans bruit	discrètement
14	prouesse	exploit, succès remarquable
17	rien n'est gagné	la partie n'est pas jouée, le succès n'est pas total
17	décalé	en décalage
18	en avance	qui devance, précurseur
20	assuré	garanti
20	sur le plan de	dans le domaine de
21	mentalités	états d'esprit
22	l'affaire	l'histoire
24	affirmer	déclarer, soutenir
29	faire figure d'exception	se distinguer par sa rareté
31	repérer	remarquer
32	et encore	encore faut-il préciser que
39	rattraper	égaler, rejoindre
43	percée	poussée, progression
45	inexorable	inéluctable, implacable, irrésistible
47	sensible à	dépendant de, fluctuant selon
49	récession	recul, retour en arrière
51	appeler	demander, exiger
52	dépouiller	analyser, examiner
56	l'emporter	gagner sur, dominer, surpasser
60	dans les temps	en temps voulu, dans un délai normal
64	atteindre	arriver, parvenir
68	empocher*	obtenir, être reçu à, réussir, être titulaire de
69	écart	décalage, distance
71	d'où l'accès à	ce qui explique l'accès à
74	particulier	spécifique à, caractéristique de, exclusivement le fait de

79	porter traces de	révéler, faire apparaître
82	suprématie	domination, supériorité
83	inversement	au contraire, alors que
84	être loin de + V.	avoir encore beaucoup à faire pour + V.
88	évident	flagrant, indéniable, incontestable
90	supprimer	abolir, éliminer, faire disparaître
90	hégémonie	domination, suprématie
92	prometteur	plein de promesses, favorisant l'accès à
94	mettre à bas	vaincre
94	domination	suprématie
100	ne pas suivre	ne pas être à la hauteur de, être en retard sur, ne pas évoluer simultanément
105	s'engouffrer	se précipiter, forcer le barrage
109	s'incarner	se réaliser, se concrétiser, se manifester
113	dévalué	déprécié, dévalorisé
117	être à la hauteur	correspondre, atteindre le niveau

		de, être conforme à
119	défavorables aux	au détriment des
123	stéréotype	cliché, préjugé
125	condisciple	homologue, camarade
134	s'estimer	se juger, se voir comme
136	abdiquer	abandonner
140	être invité à	être encouragé à, être poussé à
146	en matière de	dans le domaine de, en ce qui concerne
147	innovation	changement, invention
150	inertie	immobilisme, passivité
151	promouvoir	encourager, favoriser
153	compatible	conciliable
155	foyer de résistance	lieu, noyau de résistance
156	inéluctable	inévitable
158	tout retour est impossible	irréversible
160	pérennité	résistance au temps, durée, maintien, persistance
162	toucher	atteindre, frapper
166	régression	recul

PLUME EN HERBE

NATHAN-LE MONDE

Une histoire racontée par les enfants

DOCUMENT 1

Trente-cinq mille candidats ont participé au concours « Plume en herbe » organisé, pour la troisième année consécutive, par Nathan et *le Monde*. Ils étaient trente mille l'an dernier. Cent manuscrits ont d'abord été sélectionnés par des étudiants du CELSA (Institut des hautes études de l'information et de la communication). Dans un deuxième temps, le comité de lecture de Nathan a lui-même choisi vingt textes. Enfin, cette dernière sélection a été soumise à un jury composé de dix membres et présidé par André Fontaine, ancien directeur *du Monde*.

La règle du concours était de classer la série de onze dessins de Brigitte Vionnet parus dans *le Monde* dans l'ordre souhaité par chaque candidat. L'enfant pouvait ainsi organiser lui-même la trame de l'histoire qu'il inventait et assimiler, comme l'a fait Sophie Solal, les dessins à sa propre imagination.

C'est Sophie Solal, jeune Marseillaise de treize ans, qui a été élue « plus jeune écrivain de France » et qui voit son texte, que nous reproduisons ci-dessous, accompagné des dessins, placés dans l'ordre qu'elle a choisi, publié en un livre. Le deuxième prix est revenu à Khanh-Trang Elvire Nguyen Thu-Lam (neuf ans), le troisième à Noémie Angel (onze ans).

Leurs histoires figurent en dessous, avec un renvoi aux images, par numéro. Les vingt premiers reçoivent un « ordinathan ». Les autres lauréats, du vingt et unième au centième, recevront une encyclopédie et auront la satisfaction de chercher, comme les candidats aux concours des grandes écoles, leur nom dans la liste que nous publions ci-dessous.

DOCUMENT 2

La Farce du Diable

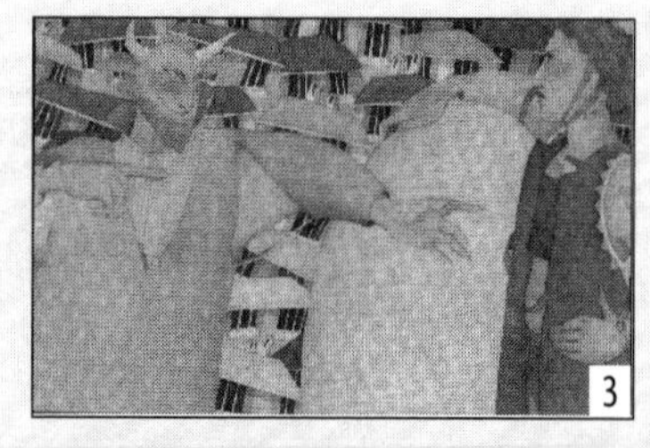

Au pays du rire, tout donnait l'occasion de rire : l'arrivée du printemps, les fleurs qui s'ouvraient, le soleil qui brillait et le bleu du ciel. Au pays du rire, tout était occasion de fête et de rire, et il se racontait ici les histoires les plus drôles ; des histoires jamais méchantes qui portaient toujours sur le bonheur des gens.

Mais, à côté du pays du rire, il y avait le pays des farces. Il était habité par de malicieux diablotins. L'un d'eux arriva au pays du rire avec un œuf énorme et s'adressa à Hilare, le chef de ce pays.

– Dis-moi, Hilare, est-il vrai qu'on raconte ici les histoires les plus drôles ? – Oui.

Alors, continua le diablotin, écoute la farce que je t'ai faite. J'ai jeté un sort à ton frère, que j'ai placé dans cet œuf géant.

Il y restera endormi et n'en sortira que si tu trouves une histoire très drôle, capable de me faire rire aux éclats. Si tu y arrives, la coquille disparaîtra. Sinon, elle restera là pour toujours.

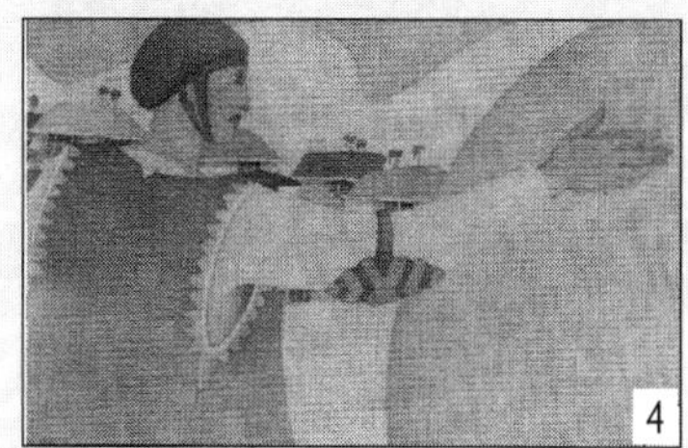

Le diablotin avait disparu. Hilare n'en revenait pas et touchait l'œuf en se demandant : « Comment ? mon frère est là-dedans ? » La coquille était lisse et dure. Elle résonnait quand on tapait dessus : impossible de la briser. Hilare s'approcha, appela son frère : « Rigolo ! tu m'entends ? » Pas de réponse, mais on entendait un léger ronflement.

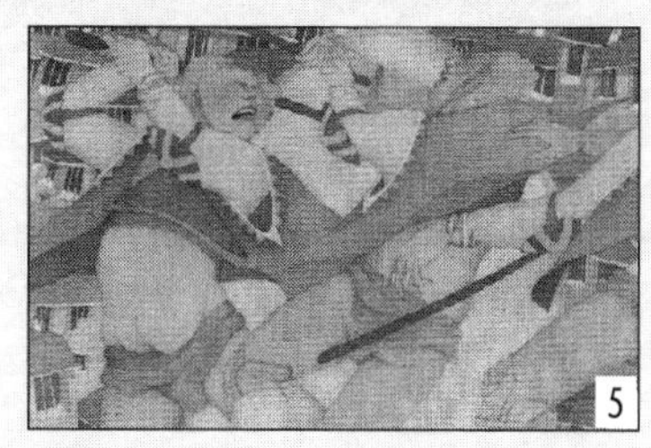

Hilare avertit tous les habitants et leur demanda de trouver l'histoire la plus drôle. C'était une mission difficile, car les méchants farceurs connaissaient la plupart des blagues.

– Moi, dit l'un, je propose de raconter l'histoire du chef de gare qui déraille.

– Non, dit l'autre, celle du citron pressé qui ne fait plus un zeste est bien meilleure !

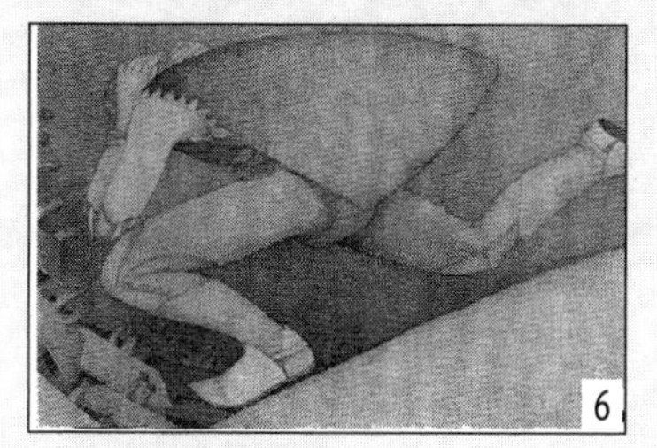

– Non, la mienne !

– Non, la mienne !

Tout le monde criait pour qu'on choisisse son histoire. Il y eut une bagarre générale. Hilare laissa les habitants se battre entre eux et mit les mains sur ses oreilles pour ne plus entendre les cris et les coups. Il était désespéré : son pays ne riait plus. Il préféra retourner auprès de l'œuf.

Près de l'œuf, Hilare mit sa tête sur la coquille, l'entoura de ses bras et se mit à pleurer. – Je ne te reverrai jamais ! je n'ai pas d'histoire assez drôle à raconter !

Les méchants farceurs avaient réussi à enlever aux habitants du rire leur joie légendaire.

Ce serait désormais le pays des larmes.

Hilare cessa de pleurer et décida de réagir.

Il lui restait encore quelques jours pour répondre au défi et décida d'aller voir Fou-Rire. Le bébé le plus mignon et le plus comique du pays. Personne, disait-on en le voyant rire, ne pouvait s'empêcher de rire avec lui.

Hilare rendit visite au papa du bébé, monsieur Euphorie, et lui expliqua la situation : il fallait faire rire le bébé, car lui seul pouvait sauver Rigolo en faisant rire le diablotin.

– D'accord, mais il faut attendre qu'il se réveille, dit-il, sinon, il sera de mauvaise humeur et ne rira pas.

Le jour convenu, le diablotin attendit la réponse. Hilare arriva avec Fou-Rire et sa maman. Il dit au diablotin : « Ecoute ! » Puis il chatouilla avec une plume les petits pieds du bébé, qui se mit à rire, à rire. Tout le monde aux alentours se mit à rire, et le diablotin ne put s'empêcher de se tordre de rire.

A ce moment-là, l'œuf se mit à bouger et disparut, alors que le frère endormi réapparaissait paisiblement dans ce pays renversant... Ainsi se termine l'histoire du pays où le rire des bébés est plus fort que la méchanceté et la tristesse des grands.

DOCUMENT 3

Sophie Solal est née en 1977. Elle est élève de quatrième au collège Vallon-des-Pins de Marseille. Elle aime les livres qui lui permettent de voyager, *« de découvrir des horizons nouveaux »* : Saint-Exupéry, Jules Verne... Au-delà des murs de son HLM, elle s'intéresse à la vie des autres villes et des pays lointains, s'émeut des conflits, des guerres, de toutes les victimes innocentes qui *« ne demandaient rien à personne »*.

Sophie a sa méthode : elle a ▶

DOCUMENT 4

commencé par éparpiller les images en cherchant un fil conducteur, puis les a ordonnées *« selon une certaine logique »*. Elle a trouvé ensuite, les personnages, des noms qui n'engendrent pas la mélancolie... Enfin, Sophie a voulu que son histoire se termine, *« un peu comme chez La Fontaine »*, par une morale. Ce message, c'est la guerre du Golfe qui le lui a inspiré : *« le rire des bébés »* contre *« la méchanceté et la tristesse des grands »*. Sophie n'a pas l'intention de s'arrêter en si bon chemin ; elle a déjà une nouvelle histoire en chantier. Dans la presse littéraire, on pourrait écrire : « A suivre... »

Sophie Solal reçoit le prix «Plume en herbe»

Sophie Solal n'était pas particulièrement impressionnée en recevant, mercredi 29 mai la consécration du prix Plume en herbe, à l'issue du concours organisé par *le Monde* et les Éditions Nathan (voir «le Monde des livres»). C'est même avec un parfait naturel que cette jeune Marseillaise de treize ans est montée sur la scène du charmant petit théâtre du musée Grévin où l'attendaient André Fontaine, président du jury, et les autres membres de celui-ci.

C'est avec naturel également qu'elle a reçu les acclamations de sa classe de quatrième du collège Vallon-des-Pins, «montée» avec elle à Paris – avec deux édiles municipaux de Marseille – et qu'elle s'est prêtée au jeu de l'interview avec William Leymergie.

Le «*plus jeune écrivain de France*», ainsi qu'ont pu le constater les vingt premiers du concours Plume en herbe dont les noms furent appelés un à un par Hervé de la Martinière, directeur du département littérature de Nathan, en plus de son talent, a su manifester fraîcheur et spontanéité.

DOCUMENT 5

Au pays du rire, tout donne l'occasion de rire.
Tout n'est que fête, histoires drôles, bonheur et amitié.
Mais à côté du pays du rire se trouve
le pays des farces habité par de malicieux diablotins.
Un beau jour, rien ne va plus au pays du rire :
un sort est jeté, une bagarre générale éclate...
Les méchants farceurs vont-ils réussir
à transformer le pays du rire en pays des larmes ?

Sophie Solal s'est inspirée des dessins de Brigitte Vionnet
pour écrire cette histoire renversante.
Choisie parmi les 35 000 participants du concours Plume en herbe,
elle devient, à 13 ans, l'un des plus jeunes auteurs du monde.

DOCUMENT 6

● «Ovum ou la métamorphose merveilleuse», de Khanh-Trang Elvire Nguyen Tha-Lam

Dessin n° 6. – Makaronk, pourtant habitué au phénomène, courait à perdre haleine dans Ovum. Tremblements. Chocs. Affolement. Le chaos revenait ! Il avait beau mettre son bonnet magique pour se protéger des secousses infernales à faire crever les tympans, il savait ce qui allait se passer : des entrailles de la Terre surgira un œuf géant d'où sortira un méchant soldat immortel.

2. – Chaque été, le séisme frappait le village d'Ovum où derrière des barreaux vivaient des soldats prisonniers du Diable des Naissances. Par sa malédiction millénaire, celui-ci agrandissait son armée d'année en année. Le redoutable démon apparut alors et confia la surveillance de l'œuf à Makaronk, complice en chef de ses mauvaises œuvres.

3. – «Le grand jour est proche ! Dans quinze jours naîtra cette fois le chef de mon armée. Il commandera les soldats d'Ovum à la conquête d'une nouvelle planète. Nous répandrons la guerre et le Mal ! HAHAHAHAHA ! Surveille-le bien et garde ton casque à micros incorporés à l'écoute de mes ordres !» Makaronk, pris de jalousie, obéit à contrecœur.

4. – Le diable parti, Makaronk, furieux, ôta son casque à micros et revêtit le bonnet écarlate qu'il avait emmené avec lui en Enfer. Ce bonnet, pris sur la tête d'un moine en prière, est… MAGIQUE ! Makaronk s'en est aperçu depuis cette nuit de pillage d'un couvent de lamas. Il l'aidait surtout à se débarrasser du désespoir.

7. – À peine avait-il changé de coiffure qu'il tomba doucement en léthargie. Sa tête s'affaissa sur l'œuf, la joue au contact de la coquille poreuse. Comme par enchantement, ce cruel qui n'avait jamais pleuré laissait tomber pendant quatorze jours et quatorze nuits des larmes d'espoir. Elles imbibèrent l'œuf d'une bonté miraculeuse.

8. – En rêve, il se voyait chef de l'armée, tenant à la main un bâton blanc de commandement et défiant le Diable. «Allô Makaronk ! rugit le Diable. À l'éclosion de l'œuf, ne laisse cette fois aucune femme s'en approcher, sinon… le sortilège sera définitivement rompu !» Mais Makaronk avec son bonnet écarlate n'entendit pas cet ordre.

11. – Le quinzième jour, le chaos reprit de façon inhabituelle. Makaronk remit précipitamment son casque à micros. Aucun ordre ne vint. À l'intérieur de l'œuf se déroulait le combat entre deux soldats recroquevillés en position fœtale, entre le BIEN et le MAL, entre le miracle des larmes et le sortilège du Diable. Cette métamorphose difficile retardait la nouvelle naissance.

5. – Sous le choc des secousses répétées, certains barreaux se détachèrent des fenêtres. Quelques prisonniers s'échappèrent et à coups de bâton voulurent détruire l'œuf maudit, cause de leur ennui. Makaronk se défendait comme un… diable. La bataille faisait rage quand on entendit de longs gémissements venir des profondeurs. C'était la terrifiante sirène de midi. Elle pétrifia les combattants.

10. – Justement, ce jour-là, la femme de Makaronk lui apportait son déjeuner mensuel. Lorsqu'elle s'approcha de l'œuf, celui-ci rapetissa à vue d'œil, la coquille se brisa en mille morceaux laissant apparaître UN MIGNON BÉBÉ BIEN INOFFENSIF. Elle ne put s'empêcher de le prendre dans ses bras sous le regard consterné de son mari.

9. – Le Bien a triomphé et le sortilège a été rompu. Le diable n'osa plus montrer le bout de ses cornes. Les soldats redevenus mortels s'aperçurent qu'ils avaient des cheveux blancs. La naissance de l'ENFANT DE LA PAIX a délivré Ovum de sa malédiction. Plus jamais de séisme ! Plus jamais d'œuf géant ! Makaronk adopta l'Enfant…

…

1. – et sa femme dansa de bonheur. Mille fleurs merveilleuses aux coloris chatoyants, embaumaient l'azur de leurs parfums enivrants. Nature et êtres humains entonnèrent d'une seule voix l'*Hymne à la joie*. Ovum se transforma en ville prospère. L'enfant du destin grandit bienheureux et gai. Et devient plus tard le ministre de la paix.

Le Monde, 31 mai 1991

LIRE POUR RÉSUMER

Le texte et vous

1. Parmi les documents reproduits, un seul ne se trouvait pas dans «le Monde» du 31 mai 1991. Lequel ? De quel type de document s'agit-il ?

2. Identifiez les documents numérotés de 1 à 4. De quoi s'agit-il ? Dans quel but ont-ils été publiés dans «le Monde» ?

Vous et le sujet du texte

3. Qui a eu l'initiative de ce concours ? Par qui est-il organisé ?

4. Parcourez rapidement l'ensemble des documents. Qu'est-ce qui retient particulièrement votre attention :

- l'idée du concours ?
- l'histoire de «La Farce du Diable» ?
- la personnalité de Sophie Solal ?
- autre chose ?

Pour quelles raisons ?

L'auteur, le texte et vous

5. Selon vous, le titre du concours est-il bien choisi ? Pourquoi ?

6. Comme ce concours n'est pas nouveau, la rédaction du Monde n'en rappelle pas les objectifs. À votre avis, quels sont-ils ?

7. Certains de ces textes ont été écrits par des journalistes. Lesquels ? Pourquoi ne sont-ils pas signés ?

Distinguer

8. Le concours

Présentez-en oralement les caractéristiques : nombre de candidats, règle, composition et fonctionnement du jury, nature des prix, résultats de 1991 et modalités de la remise des prix.
Aidez-vous du tableau «Dire autrement» (pp. 44 et 45)

9. La lauréate 1991

Utilisez le contenu des documents 3 et 4 pour faire oralement un portrait de Sophie Solal : sa vie, sa personnalité, son talent littéraire.
Aidez-vous du tableau «Dire autrement» (pp. 44 et 45)

10. «La Farce du Diable»

Lisez le document 5. Quel est l'objectif visé par le petit texte de huit lignes ?

11. Qu'est-ce qui rapproche le style de ce petit texte de celui du récit de Sophie Solal ?

12. Lisez entièrement «La Farce du Diable» et donnez un titre à chaque couple image/texte.

13. Relevez les marques d'humour les plus frappantes.

RÉSUMER POUR QUI ?

14. Vous disposez de deux pages dans un journal mensuel fait par des étudiants de français, dans la rubrique intitulée «Pourquoi pas nous ?». Elle a pour but de faire connaître des initiatives intéressantes et d'en suggérer des adaptations.
Vous préparez cette rubrique en groupe.
Le groupe décide d'écrire cinq textes dont le but est de lancer un projet de concours inspiré de «Plume en herbe».

15. Texte n° 1. Le chapeau :

Il justifie votre choix pour la rubrique «Pourquoi pas nous ?» ;
Il propose quelques idées d'adaptation et appelle les lecteurs à réagir.

16. Texte n° 2. Le concours «Plume en herbe» :

Il résume la présentation du concours.
Reportez-vous aux activités 6 et 8. Aidez-vous du tableau «Dire autrement» (pp. 44 et 45).

17. **Texte n° 3. Le portrait de la lauréate 1991 :**
C'est le portrait de Sophie Solal.
Reportez-vous à l'activité 9. Aidez-vous du tableau «Dire autrement» (pp. 44 et 45).

18. **Texte n° 4. «La Farce du Diable» :**
C'est un résumé du texte de la gagnante.
Pour le rédiger, conservez le début du texte du document 5 jusqu'à : **Un beau jour, rien ne va plus au pays du rire**, et écrivez la suite de l'histoire.
En effet, ce résumé s'adresse aux lecteurs de votre journal, qui n'ont pas la possibilité de lire le livre, et qui souhaitent connaître l'histoire.
Aidez-vous du tableau «Dire autrement» (pp. 44 et 45).

19. **Texte n° 5. «Ovum ou la métamorphose merveilleuse»**
C'est le texte ayant obtenu le 2ᵉ prix du concours 1991.
Rédigez un texte très court, ayant la même fonction que celui du document 5 : à savoir, éveiller la curiosité des lecteurs. Ne racontez pas toute l'histoire.
Aidez-vous du tableau «Dire autrement» (pp. 44 et 45).

ÉVALUER

20. Afin d'améliorer chacun de vos textes, posez-vous notamment les questions suivantes :

21. **Pour le texte n° 1 :**
Demandez-vous si les lecteurs pourront réagir à vos propositions : sont-elles clairement formulées ? Indiquez-vous par quel moyen ils peuvent y répondre ?

22. **Pour le texte n° 2 :**
Demandez-vous si vos lecteurs ont toutes les informations nécessaires pour distinguer ce qu'il serait souhaitable et réaliste de conserver, de supprimer et d'adapter, pour organiser localement ce genre de concours.

23. **Pour le texte n° 3 :**
Demandez-vous si le portrait de Sophie Solal est complet, et fidèle au contenu des documents 2 et 4 : âge, scolarité, cadre de vie, goûts et centres d'intérêt, qualités personnelles, qualités littéraires.

24. **Pour le texte n° 4 :**
Demandez-vous :
1. si votre production s'articule bien avec le début du texte, qui vous était imposé par la consigne : temps, pronoms, etc. ;
2. si votre résumé rend compte de la logique de l'histoire : chronologie et enchaînement des événements, morale de l'histoire, etc. ;
3. s'il donne une idée de l'imagination, de l'humour et du style de l'auteur.

25. **Pour le texte n° 5 :**
Demandez-vous :
1. si vous avez situé les lieux, les personnages et l'atmosphère ;
2. si vous avez choisi le bon moment pour arrêter le récit et éveiller la curiosité du lecteur ;
3. vérifiez le choix des temps : amorce du récit au présent.

26. **Pour tous les textes :**
Vérifiez :
1. la fidélité au contenu des textes de départ
2. l'enchaînement des phrases et des paragraphes : ni rupture de sens, ni répétitions inutiles
3. le choix du lexique;
4. la construction des phrases
5. l'orthographe, la ponctuation et la correction grammaticale.

COMMENTER

Commenter, c'est préciser

1. Si vous vouliez participer, ou encourager quelqu'un à participer à ce concours, quelles précisions devriez-vous obtenir ?

2. Sophie Solal dit avoir été inspirée par la guerre du Golfe. Comment comprenez-vous cette déclaration ?

Commenter, c'est donner son point de vue

... sur la qualité de l'article

3. Cette page du Monde constitue-t-elle une bonne information sur le concours «Plume en herbe» ? À votre avis, par quelles catégories de lecteurs du Monde est-elle lue ?

4. Voyez-vous dans cette initiative un aspect publicitaire ? Précisez.

5. «Le Monde» fait le choix de publier intégralement les textes des trois premiers gagnants. Pensez-vous que cela soit une bonne idée ? Pourquoi ?

... sur le contenu de l'article

6. Que pensez-vous de l'initiative Le Monde – Nathan ?

7. Parmi les prix qui récompensent les gagnants, quel est, selon vous, celui qui est le plus apprécié par les enfants ?

8. Les réactions de S. Solal vous surprennent-elles ? Pourquoi ?

9. Entre le premier et le deuxième prix, auriez-vous fait le même choix que le jury ?

10. Pensez-vous que les enfants nourrissent leur imagination à partir de l'actualité ?

Commenter, c'est comparer des cultures

11. Connaissez-vous l'existence d'un concours comparable ayant lieu dans votre pays ? Quel succès rencontre-t-il (rencontrerait-il) ? Quelle est (serait) la nature des prix offerts ?

12. Dans votre pays, trouve-t-on de nombreux livres pour enfants ? Parlez-en.

Débattre, c'est parfois s'opposer

13. Réagissez à ces affirmations. Exposez et défendez votre point de vue face à un interlocuteur qui s'oppose systématiquement à vous.

a. Les meilleures histoires pour enfants sont écrites par des enfants.

b. Pour un étranger, lire des livres pour enfants peut être un moyen d'améliorer son français.

c. Les enfants qui regardent la télévision ne lisent plus.

d. Actuellement, les prix littéraires sont une pure affaire commerciale.

e. Finalement, c'est grâce à la télévision que Sophie Solal a écrit cette belle histoire.

DOCUMENT 1

2	en herbe	débutant plein d'avenir, prometteur
3	consécutif	successif
9	soumettre	proposer
15	la trame	la structure, l'organisation
16	assimiler	intégrer, interpréter
21	revenir à	être attribué à
27	ordinathan	ordinateur + Nathan (mot-valise)
29	la satisfaction	le plaisir

DOCUMENT 2

9	porter sur	à propos de, parler de
16	hilare	rieur
26	rire aux éclats	se tordre de rire

27	arriver à	parvenir à, réussir à
29	pour toujours	définitivement, éternellement
31	ne pas en revenir	être stupéfait
38	rigolo*	drôle, comique, amusant
41	avertir	alerter
43	une mission	une tâche
45	une blague*	une histoire drôle
48	dérailler*	sortir du rail (pour un train), être un peu fou
50	un zeste (de citron)	un petit morceau de peau
70	légendaire	traditionnel, célèbre
71	désormais	à partir de ce moment-là
76	un défi	une provocation
77	un fou-rire	une crise de folie
83	l'euphorie	la joie, le délire, l'exaltation
96	aux alentours	à proximité
102	renversant	extraordinaire, étonnant

DOCUMENT 3

10	s'émouvoir	être touché, se sentir concerné
13	qui ne demandaient rien à personne	qui ne sont pas responsables
15	éparpiller	disperser, isoler, mélanger
16	un fil conducteur	une idée directrice, un lien
17	ordonner	classer
20	qui n'engendre pas la mélancolie	drôle, amusant, comique
31	en chantier	en cours, en train

DOCUMENT 4

2	impressionné	intimidé, troublé
4	la consécration	l'honneur, la récompense, la reconnaissance
5	à l'issue de	après, à la suite de
9	c'est même avec...	non seulement... mais...
9	le naturel	l'aisance, la simplicité
13	charmant	joli, agréable
20	une acclamation	une ovation, les bravos
22	monter à Paris	aller de province à Paris
23	un édile	un élu municipal
25	se prêter au jeu	accepter volontiers, collaborer
37	manifester	montrer, exprimer
37	la fraîcheur	la simplicité, le naturel
38	la spontanéité	la décontraction, l'authenticité

DOCUMENT 6

3	à perdre haleine	à toutes jambes, hors d'haleine
4	l'affolement	la panique
5	le chaos	le désordre
7	infernal	terrible
8	à faire crever les tympans	assourdissant
9	les entrailles	les profondeurs
12	un séisme	un tremblement de terre
12	frapper	atteindre, toucher, affliger
17	agrandir	augmenter, développer
18	redoutable	terrifiant, menaçant
21	une mauvaise œuvre	un méfait
26	répandre	propager, généraliser, multiplier
31	à contrecœur	contre son gré, sans enthousiasme
33	ôter	retirer, enlever
34	écarlate	rouge vif, cramoisi
38	un pillage	une mise à sac, une razzia
39	un lama	un moine
41	à peine avait-il	dès que, aussitôt que
42	en léthargie	dans un profond sommeil
43	s'affaisser	s'écrouler, tomber
45	par enchantement	par magie, étrangement
45	cruel	méchant, barbare, endurci
49	imbiber	imprégner, s'infiltrer
53	défier	attaquer, provoquer
62	inhabituel	différent, inaccoutumé, inusuel
63	précipitamment	en un clin d'œil, rapidement
66	recroquevillé	replié sur soi-même
77	se défendre comme un diable	riposter énergiquement
78	faire rage	être à son comble
80	un gémissement	une plainte
81	terrifiant	effrayant, à vous glacer le sang
82	pétrifier	clouer sur place, épouvanter
83	justement	or, il se trouve que
86	rapetisser	rétrécir
89	inoffensif	sans défense
106	chatoyant	changeant, irisé
110	prospère	riche, heureux

PARCOURS

Après des années de grands reportages pour l'ORTF, Jean-Claude Luyat est sans doute l'un des derniers cinéastes solitaires à privilégier les longs tournages aux «*images volées*» à la hâte. A cinquante cinq ans, film après film, à la manière des voyageurs des siècles passés, il a exploré les déserts et les territoires oubliés de l'Est africain. Son œuvre la plus célèbre, *Massaï*, a fait le tour du monde. Depuis, ce marcheur, caméra à l'épaule, ralentit encore volontairement son rythme. Pour lui-même, comme pour les documentaires qu'il propose aux télévisions.

Une caméra en solitude

– « Vous êtes né en haute montagne, au-dessus de Grenoble. Or la majeure partie de votre œuvre,* Massaï*, vos autres films sur l'Afrique, dernièrement,* la Guerre oubliée, voyage au Sud-Soudan*, évoquent plutôt les immensités désertiques...

– C'est vrai que je suis originaire du milieu cloisonné de la montagne. Gamin, je ne savais pas comment m'éloigner de ces cimes, quel métier trouver pour m'échapper. J'ai pensé devenir géologue, pour imiter certains Grenoblois célèbres qui étaient parti découvrir du pétrole. Et puis, d'une certaine façon, c'est mon service militaire, à la pire des périodes, la guerre d'Algérie, qui m'a fourni cette chance. J'ai été affecté au Sud-Sahara, et cela a été pour moi une révélation. Tout à coup, la possibilité d'entrevoir un autre univers, un monde qui n'avait pas bougé depuis Charles de Foucauld, ou les récits de Saint-Exupéry. Quelque chose d'authentique, des oasis, les pelotons méharistes, surtout, en 1959, ce désert que traversaient encore des caravanes de cinq cents chameaux, chargés de sel. C'était la guerre, une guerre irréelle, avec une armée qui combattait un ennemi invisible, mais aussi ce choc, cette dimension dans laquelle j'étais plongé, après en avoir rêvé en lisant les livres.

– Vous auriez pu n'être qu'un grand voyageur comme d'autres, opter pour un autre métier en rapport avec cette révélation. Pourquoi avoir choisi de retourner vers ces déserts, une caméra sur l'épaule ?

– Encore les circonstances, vers la même époque, après ce service militaire. On m'a proposé d'entrer à *Paris-Match* comme assistant-photographe. Cela a commencé ainsi. J'ai mélangé les deux opportunités, ces deux grandes rencontres, le voyage et le reportage.

– Après toutes ces années, ces kilomètres de pistes et de pellicules, qu'est-ce qui est le plus important ? Le voyage, ou cette caméra ?

– Aujourd'hui, le film. Au début, lorsque je suis devenu caméraman, puis cinéaste, le voyage était sans doute le plus important. Une façon

de fuir, d'exister toujours en mouvement, pour connaître le monde. Aussi, un besoin, inconscient longtemps, d'aller chercher loin des réponses à mon propre environnement, ici, en France. Explorer d'autres sociétés, pour supporter la nôtre. Puis, j'ai changé, évolué. J'éprouve toujours cette magie du départ, ce vertige qui vous prend dès que vous entrez dans un aéroport, mais je suis beaucoup plus intéressé par mon travail. J'ai moins besoin d'aller loin. Il est possible de chercher à comprendre tout autour de nous. J'ai, par exemple, très envie de filmer un garde-forestier de la Chartreuse qui connaît intimement les chamois.

– Vos voyages lointains, peut-être vos détours, film après film, ont d'abord croisé, dix ans durant, le chemin de la turbulente Amérique, la violence sociale, raciale, le symbole même de la modernité. C'est aussi une expérience qui vous a ensuite poussé vers vos déserts ?

– Certainement. Comme une preuve de plus que ces contrées, l'Ethiopie, le Kenya, le Soudan, etc., renfermaient quelque chose d'oublié ou de perdu par notre monde. Mais je ne regrette pas cette longue expérience américaine. J'ai même l'impression d'y avoir vécu cent vies, tant mon travail de cameraman pour l'ORTF était prenant.

J'ai eu la chance de filmer les lancements des premières fusées vers la Lune. C'étaient alors des événements immenses à l'image des Etats-Unis, l'illustration de ce que nous ignorons en Europe : cette relation d'eux-mêmes et de l'espace. J'ai rarement éprouvé cela, cette hystérie collective, cette fête nationale lors des lancements. Les hommes autour du pas de tir, ou devant leurs télés, parlaient à la fusée comme à une femme. *« Go ! Go ! Baby, come up ! »* Et cette fusée emportait tous leurs rêves. Le voyage, encore. Un jour, Van Braun, le grand savant, m'a signé une carte de la Lune, et Glenn, l'astronaute, m'a raconté son survol de notre géographie terrestre. Il avait vu la guerre du Vietnam d'en haut, et notre petite Europe morcelée… Toutes ces expériences allaient dans le même sens. Elles ont nourri mon besoin de compréhension des autres mondes. Mais en même temps, l'Amérique était confrontée à des problèmes du Moyen Âge, les émeutes, les grèves. J'ai tout filmé : les grands écrivains, les stars de la pop-music, tous les ghettos. Oui, je crois que j'ai eu cent vies, à travers l'œil de ma caméra. J'ai même épuisé ma curiosité des USA pour un certain temps. J'y retournerai, plus tard. Rien ne presse. Il faut que je finisse d'abord mon parcours en Afrique.

– Après l'Amérique et ses contradictions, vous avez éprouvé le besoin du silence ?

– Plutôt d'une autre vie, d'un autre rythme, des choses, des hommes comme des images, qui existaient en marge de celui de notre univers effréné. Un ami, Jean-Noël Levaton, m'a emmené au Kenya où j'ai rencontré les Massaïs. Un peuple qui, à mes yeux, exprimait sa sensation de sa propre précarité, peut-être de sa condamnation. Je suis resté deux mois d'abord, puis je suis revenu. C'était comme si, sans rien savoir d'un film, ils avaient décidé de fixer ce qu'ils étaient, de le retenir. Au milieu d'eux, j'ai trouvé l'inconnu, d'autres valeurs, vivre et marcher, approcher des animaux sans en avoir peur. Peu à peu, grâce à eux, j'ai réalisé que je n'étais plus pressé, plus pressé de tourner. Je crois que les Massaïs m'ont appris à filmer plus lentement, plus en profondeur. J'ai retenu la leçon.

– Ces mois de tournage, l'emploi de la pellicule 16 mm, et non de la vidéo, la légèreté de vos équipes ne sont-ils pas en contradiction avec le documentaire actuel, avec ses nécessités économiques ?

– Je me place en dehors des lois économiques, et je m'en contrefous ! Je n'ai jamais voulu faire cela pour gagner de l'argent. Pour la même somme proposée par les producteurs, par exemple si on me paie trois mois pour tourner un film, je m'efforcerai de tenir six mois sur place. Pas seulement pour le bonheur de vivre en Ethiopie ou au Sud-Soudan. Parce que le temps, la durée apportent une autre qualité à votre témoignage. Ces hommes, ces femmes des déserts ne sont pas idiots. Ils sentent très bien si on vient vers eux en les respectant, ou si on passe simplement voler quelques images. Exactement, comme si j'étais un paysan et qu'on venait tourner dans ma campagne. Je sentirai tout de suite les prédateurs. J'ai croisé beaucoup d'équipes pressées d'enregistrer des sujets approximatifs, de nous montrer une Afrique systématiquement épuisée, souffrante. De Paris, on peut ne montrer que les salles d'urgences des hôpitaux. Personne en Afrique, n'aurait envie d'y venir.

– Mais les télévisions sont boulimiques, et l'époque est aux sujets brûlants, oppressants. La Roumanie, Berlin, la guerre du Golfe…

– Oui, je sais. Il n'y a plus d'image sans drame. C'est caricatural. On ne cible plus que la souffrance. C'est aussi pour cela que j'ai quitté mes fonctions à la télévision, pour un cinéma plus solitaire. Il y a des événements terribles en Afrique, mais, avec le temps, justement, on s'aperçoit qu'à côté, la vie continue, que les villages se sont déplacés, avec les troupeaux, pour tenir ailleurs. Trop de gens ont intérêt à exagérer ou mentir. La souffrance est aussi un marché. Une télévision de service public pourrait davantage montrer la relativité des choses, approfondir. C'est valable pour les Massaïs, comme pour les banlieues françaises. Tout est affaire de rythme, et de souci de son sujet. Pour comprendre pourquoi les peuples nomades du Nord-Kenya sont affaiblis par la scolarisation, alors que lire et écrire ne leur servent à rien, pour restituer par un film leur lente clochardisation, il faut aussi montrer ce qui perdure de leurs traditions, leur énergie à refuser le cours des choses, dans un Kenya surchargé par le tourisme. C'est plus qu'une affaire d'honnêteté intellectuelle…

– Une affaire de temps ?

– Absolument. Avant d'être reporter à la télé, avant les USA, j'avais participé à une expédition franco-anglaise, en 1964, sur les traces d'Alexandre le Grand. J'étais allé sur toutes les routes d'Afghanistan ou d'Iran comme un chien fou. Ce n'est que longtemps après que j'ai admis que pour vivre là-bas, il fallait retrouver le rythme lent et pénétrant des grands voyageurs du siècle passé, ou même celui d'Hérodote, de Tocqueville. Depuis, je refais sans cesse ce voyage d'Alexandre le Grand. Psychologiquement. Je lis beaucoup, je cherche des ethnologues qui ont la même passion de comprendre. Je ne fais plus n'importe quoi. Il est même devenu parfois difficile pour moi de tourner. Comme un acte trop grave. Mon sujet, l'environnement du tournage me contraignent à la persévérance, à l'harmonie, car c'est tellement facile d'appuyer sur le bouton d'une caméra ! L'emploi systématique du 16 mm m'oblige aussi à une certaine ascèse, technique et humaine. Une fois, dans le sud de l'Ethiopie, vingt-huit hommes d'un village m'ont accompagné pendant trois jours de marche. J'ai porté mon matériel, mais ils m'ont guidé, assisté, parce que mes mules n'étaient pas au rendez-vous. Leur façon à eux de me faire comprendre que je devais payer mes images. Que dans l'acte de filmer, il y avait aussi celui de voyager, de marcher, comme autrefois.

– Vous faites référence à ces écrivains-voyageurs, à ces blancs du désert devenus très à la mode. Laurence d'Arabie, Rimbaud, surtout, ces temps-ci. Même sans caméra, leurs contrées ne sont plus inaccessibles aujourd'hui. Vous devez croiser de simples

touristes, eux aussi lecteurs et, comme vous, fascinés ?

– J'ai des amis qui conduisent des touristes dans le Hoggar avec un infini respect des Touaregs. Mais, c'est vrai que ces nouvelles aventures lointaines, même honorables, malmènent un peu plus les fragiles équilibres de ces mondes en marge. Avec ou sans caméra, il devient difficile d'aller vers eux sans donner ou avoir soi-même l'impression de s'inviter.

– Vous aimez l'Afrique de la relativité, en tout cas d'une approche personnelle et professionnelle plus généreuse. Mais ce continent présente aussi des signes de mort. Vos amis Massaïs sont menacés. Retournerez-vous filmer leur déclin ?

– Je le ferai. Une suite. Vingt ans après. Je le redoute un peu, j'ai peur de ce que je vais trouver, mais c'est le lot de toute civilisation de connaître de telles fractures. En tout cas, j'irai.

– Vous pouvez voyager sans caméra ?

– Cela m'arrive, mais c'est pénible. J'appréhende de rater un événement, non forcément dramatique, une guerre ou une rébellion. Quelque chose. Une rencontre. Dans ces cas-là, j'emporte toujours une caméra-vidéo, dont je me sers pour les repérages, mais ce matériel est sans utilité pour le rapport qui m'est nécessaire entre la pellicule, le sujet, et moi-même.

– Toujours à propos des grands voyageurs, vous avez retrouvé, à l'occasion de l'un de vos prochains films, l'Anglais Wilfred Thesiger, l'auteur du **Désert des déserts** ***(1).***

– Oui, tout le monde le croyait mort. Avec Edward Behr, je réalise actuellement, pour Antenne 2, un film sur sa vie, aussi exceptionnelle que celle de Lawrence, plus troublante, peut-être, parce que plus proche de nous. Wilfred Thesiger est né en 1910, et il a pratiquement toujours vécu dans ces déserts. A plusieurs reprises, il a traversé le désert arabique, que les Anglais appellent « Empty Quater », le désert de la Lune. Il en a tiré ce fameux livre, *le Désert des déserts*. Il a aujourd'hui quatre-vingt-un ans et il finit ses jours dans le décor qu'il a choisi. Fils d'un ministre plénipotentiaire en Ethiopie, neveu d'un vice-roi des Indes, il aurait pu lui aussi choisir la carrière diplomatique aux colonies. A dix-huit ans, il a préféré monter sa première expédition en Ethiopie, pour découvrir les sources du fleuve Aouache. Dans les années 30, il a travaillé pour les affaires soudanaises, puis il a fait partie des commandos des « Rats du désert », contre les troupes de Rommel. Il a beaucoup marché, beaucoup fait de chameau à la rencontre des Bédouins. Avec lui, nous avons retrouvé ses compagnons, Bin Gabina et Bin Ghabaisha, des Rendilé du Nord-Kenya qui avaient dix-sept ans, à l'époque de leurs folles aventures vers l'Arabie.

– Ce vieil homme qui raconte son histoire, n'est-ce pas aussi un film sur un monde perdu ? Sur un temps qui s'échappe ?

– Sûrement. Wilfred Thesiger est un homme étonnant, enthousiaste. Un anglais de l'horizon. Le dernier des explorateurs. Mais il symbolise aussi nos nostalgies. Peut-être le bouclage de mon propre tour d'Afrique, je ne sais pas. En tout cas, son livre m'a tellement marqué que je lui devais bien cet hommage. »

Propos recueillis par
Philippe Boggio

---

1) *Le Désert des déserts*, collection Terre humaine. Plon.

Le Monde, 20 avril 1991

LIRE POUR RÉSUMER

Le texte et vous

1. D'après l'origine du document, la rubrique, la photo, le titre et le chapeau, quel est, selon vous, le thème principal de cette interview ?

2. De quelle manière la photo confirme-t-elle ces trois informations contenues dans le chapeau ?
– C'est l'un des derniers cinéastes solitaires.
– Il refuse les «images volées» à la hâte.
– Il a exploré les territoires oubliés de l'Afrique.

Vous et le sujet du texte

3. Même si vous ne connaissez ni Jean-Claude Luyat, ni son œuvre la plus célèbre, lisez :
– le début de l'interview (lignes 1 à 53),
– et toutes les questions du journaliste.
Puis, dites en quoi la lecture de ce document peut vous intéresser.

L'auteur, le texte et vous

4. Avant l'interview, le journaliste avait certainement décidé d'aborder les points suivants, avec J.-C. Luyat :
– l'origine de ses choix et son parcours professionnel ;
– sa marginalité par rapport au système économique et médiatique actuel ;
– sa filiation par rapport aux écrivains-voyageurs ;
– son éventuel désir de poursuivre et d'actualiser son film sur les Massaïs ;
– son prochain film.
Trouvez la (ou les) question(s)-réponse(s) qui développe(nt) chacun de ces points.

5. À votre avis, le sur-titre, «Parcours», pourrait-il être remplacé par «Portrait». Pourquoi ?

Distinguer

6. Dans chaque intervention du journaliste, distinguez :
– ce qu'il dit essentiellement à l'intention du lecteur de l'interview.
– ce qu'il demande réellement à J.-C. Luyat.
– ce qu'il est amené à dire pour enchaîner avec la réponse précédente.

7. Lisez intégralement le document en cherchant à distinguer les multiples facettes de l'homme interviewé.
Complétez la liste :
– Le voyageur.
– L'amour de l'Afrique.
...

RÉSUMER POUR QUI ?

8. Vous êtes invité à participer au comité de rédaction d'un magazine qui prépare un dossier sur le thème du voyage. Vous proposez une série de textes courts (200 à 300 mots) intitulée :
«Sept portraits pour un seul homme»
- Le voyageur
- Le solitaire
- Le caméraman de l'actualité
- Le cinéaste du temps long
- L'amoureux de l'Afrique
- Le grand lecteur
- L'homme des rencontres

9. Lisez le premier de ces portraits.

Le voyageur

Enfant, il voulait fuir la verticalité de ses Alpes natales. Lors de son service militaire, l'Algérie lui révèle l'immensité du désert dont il avait rêvé à travers ses lectures. À son retour, Paris-Match lui offre un poste de reporter et, du même coup, l'occasion d'assouvir son désir de voyage. Il parcourt le monde avec une certaine ivresse, recherchant inconsciemment des solutions aux problèmes de sa propre société.

Après dix ans et «cent vies» de reportages dans l'Amérique agitée des années soixante, il ressent le besoin d'autre chose.

Avec les Massaïs du Kenya, dans un monde oublié, c'est un peuple qu'il découvre. Parce qu'il leur donne le temps de montrer ce qu'ils étaient alors, les Massaïs lui apprennent à voyager et à vivre sur un autre rythme. Celui des grands voyageurs des siècles passés.

Depuis, il voyage, à pied souvent, avec des compagnons de rencontre. En Éthiopie, par exemple, où il comprend que la lenteur du voyage fait partie intégrante de l'acte de filmer : c'est, en quelque sorte, une façon de mériter les images. Une approche qui demeure inaccessible au touriste le plus respectueux des peuples qu'il rencontre.

C'est d'ailleurs l'archétype du non-touriste qui est au centre de son prochain film : un écrivain-voyageur, aujourd'hui très âgé, qui a poussé la lenteur jusqu'à son point extrême puisqu'il s'est arrêté définitivement dans le désert où il a voyagé et écrit. Un hommage empreint de la nostalgie d'un choix que J.-C. Luyat ne fera peut-être pas !

10. Avant de préparer les six autres portraits, faites les activités 11. 1 à 11. 7.

11. Sept principes ont guidé la rédaction du premier portrait.
- Sélectionner dans l'interview ce qui caractérise le voyageur.
- Reformuler pour passer d'un interview à un portrait.
- Reformuler pour préciser les relations de sens, parfois implicites.
- Reformuler pour résumer.
- Contrôler la fidélité au sens de l'article.
- Maîtriser les transformations syntaxiques et morphologiques.
- Assurer une nouvelle cohérence au texte-portrait.

11. 1 Caractériser le voyageur.

Pour chaque phrase du portrait, retrouvez dans l'interview les éléments sélectionnés.

Après dix ans et «cent vies» de reportages dans l'Amérique agitée des années soixante, il ressent le besoin d'autre chose.

Portrait	Interview
Après...	ligne 84 : d'abord
dix ans...	ligne 84 : dix ans
cent vies...	lignes 99 : cent vies
reportages...	lignes 53 et 129 : reportage, j'ai tout filmé
l'Amérique agitée...	ligne 85: turbulente
des années soixante...	ligne 30 : (1959) et connaissances culturelles permettant de situer les violences raciales et la conquête de la lune
il ressent le besoin	lignes 141 et 142 : le besoin de silence, plutôt d'une autre vie d'autre chose

---

Poursuivez ce travail de repérage.

11. 2 De l'interview au portrait.

Observez notamment le passage du JE / VOUS à IL.

Enfant, il voulait fuir la verticalité de ses Alpes natales.

Interview	Portrait
Vous êtes né au-dessus de Grenoble	*ses Alpes natales*
Je suis originaire de...	
Je ne savais pas comment...	*il voulait*
Gamin...	*Enfant*

Poursuivez ce travail de recherche.

11. 3 Reformuler pour préciser.

Il s'agit de faire apparaître, de façon explicite, les relations logiques et chronologiques, notamment les relations de cause-conséquence exprimées par «parce que».

Parce qu'il leur donne le temps de montrer ce qu'ils étaient alors, les Massaïs lui apprennent à voyager et à vivre sur un autre rythme.

Interview :
ligne 153 : C'était comme si... ils avaient décidé de fixer ce qu'ils étaient...
ligne 152 : Je suis revenu...
ligne 160 : Peu à peu, j'ai réalisé que je n'étais pas pressé...

Poursuivez ce travail de recherche.

11. 4 Reformuler pour résumer.

Parce qu'il doit être plus court tout en restant fidèle au contenu du texte de départ, un résumé doit être :

PLUS GLOBAL

Lors de son service militaire, l'Algérie lui révèle l'immensité du désert...

Interview	Portrait
... montagnes	*les Alpes*
... au-dessus de Grenoble	

PLUS GÉNÉRAL

Interview	Portrait
Gamin...	*Enfant...*
ligne 61 : le voyage était le plus important... ligne 63 : ... exister toujours en mouvement... connaître le monde ligne 66 : ... aller chercher plus loin	*assouvir son désir de voyage*
ligne 68 : ... explorer	
ligne 71 : ... la magie du départ... le vertige qui vous prend...	*avec une certaine ivresse*

PLUS ABSTRAIT

Interview	Portrait
lignes 11, 13 : ... milieu cloisonné... cimes	*la verticalité*
ligne 163 : ... filmer plus lentement ... plus en profondeur ligne 250 : ... retrouver le rythme lent et pénétrant...	*une approche*

Poursuivez ce travail de recherche.

11. 5 Contrôler la fidélité au sens.

Un hommage empreint de la nostalgie d'un choix que J.-C. Luyat ne fera peut-être pas !

Cette phrase est-elle fidèle au contenu du dernier paragraphe de l'interview ?

Poursuivez ce travail de contrôle.

11. 6 Maîtriser les transformations syntaxiques et morphologiques.

Lors de son service militaire, l'Algérie lui révèle l'immensité du désert...

Interview :

– ligne 22 : ... cela a été pour moi une révélation...

Observez le passage d'un nom à un verbe ainsi que le changement de temps du verbe.
Poursuivez ce travail d'observation.

11. 7 Assurer une nouvelle cohérence au texte-portrait.

Les Massaïs lui apprennent à voyager et à vivre sur un autre rythme. Celui des grands voyageurs...

Interview :

– ligne 244 : ... sur les traces d'Alexandre le Grand...
– ligne 280 : ... Vous faites référence à ces écrivains-voyageurs...

Une approche qui demeure inaccessible au touriste le plus respectueux des peuples qu'il rencontre...

Interview :

– ligne 163 : ... filmer plus lentement
... plus en profondeur
– ligne 249 : ... retrouver le rythme lent et pénétrant...
– ligne 290 : ... J'ai des amis qui conduisent... avec un infini respect des Touaregs. mais... malmênent un peu...

Observez comment la sélection des informations, parce qu'elle détruit la cohérence du texte de départ, oblige à articuler des éléments parfois très éloignés les uns des autres dans l'interview.
Continuer ce travail d'observation.

12. En vous appuyant sur cette démarche, rédigez les six autres portraits.

ÉVALUER

13. Complétez ce questionnaire d'évaluation, et utilisez-le pour chaque portrait.
Pour cela, transformez chaque principe de l'activité 11 en une question vous permettant d'évaluer et d'améliorer vos portraits.

1. Le texte rédigé correspond-il à son titre ?
2. …
3. Les enchaînements logiques et chronologiques sont-ils explicites ?
4. Le texte pourrait-il être plus court ? Sur quels éléments la réduction pourrait-elle porter ?
5. …
6. Les phrases sont-elles bien construites ? Le temps des verbes bien choisi ?
7. Le portrait est-il compréhensible et suffisamment informatif pour un lecteur qui ne connaît pas l'interview ?

COMMENTER

Commenter, c'est préciser

1. Pour J.-C. Luyat, qu'est-ce qui fait la valeur de son expérience américaine ?

2. Le fait de rester longtemps sur les lieux d'un tournage augmente-t-il considérablement le budget de ses films ?

3. J.-C. Luyat est-il actuellement salarié permanent d'un journal ou d'une chaîne de télévision ? Comment explique-t-il son choix ?

Commenter, c'est donner son point de vue

… sur la qualité de l'article

4. Observez de quelle manière le journaliste lance et maintient le dialogue. Vous paraît-elle adaptée ou non au personnage interrogé, au sujet traité et au journal qui publie l'interview ?

5. Le titre et la photo vous paraissent-ils bien choisis ? Pour quelles raisons ?

… sur le contenu de l'article

6. Pensez-vous qu'il soit nécessaire de partir loin pour comprendre ce qui se passe autour de soi ? Développez votre argumentation.

7. J.-C. Luyat estime que le cinéma et la télévision peuvent donner une vision partielle ou complètement fausse d'un pays ou d'un événement. Qu'en pensez-vous ? Prenez un exemple significatif.

8. Selon vous, cette interview est-elle susceptible de décourager les touristes ? Pour quelles raisons ?

Commenter, c'est comparer des cultures

9. Habituellement, voyagez-vous avec un appareil de photo ou une caméra vidéo ? Expliquez pourquoi.

10. Avez-vous lu dans la presse de votre pays des portraits d'artistes qui se situent, comme J.-C. Luyat, en-dehors des lois économiques ? Parlez-en.

Débattre, c'est parfois s'opposer

11. Réagissez à ces affirmations. Exposez et défendez votre point de vue face à un interlocuteur qui s'oppose systématiquement à vous.

a) Il vaut mieux ne pas voyager que partir pour quelques jours.
b) La vie moderne a tué l'art du voyage.
c) Tous les photographes sont des voyeurs.
d) Aucun journaliste n'a intérêt à déformer la réalité.
e) Pour voyager longtemps, il faut être riche.

CHAPEAU

2	sans doute	semble-t-il, certainement
2	privilégier	préférer
3	à la hâte	rapidement, furtivement
4	à la manière de	comme

INTERVIEW

3	la majeure partie	l'essentiel
5	dernièrement	récemment
8	évoquer	montrer, traiter de
11	cloisonné	isolé, compartimenté
12	un gamin*	un gosse, un enfant
13	une cime	un sommet
14	s'échapper	fuir, s'éloigner
14	penser	envisager, imaginer
16	célèbre	connu, renommé, fameux
18	d'une certaine façon	en quelque sorte
21	fournir	donner, offrir, procurer
21	une chance	une occasion, une possibilité
22	affecter	nommer
23	une révélation	une découverte, une illumination
24	entrevoir	approcher, découvrir, avoir un aperçu
26	bouger	changer, évoluer
28	authentique	vrai, sans artifice
34	irréel	impalpable
36	un choc	une émotion
36	une dimension	un univers
41	opter pour	choisir
42	en rapport avec	lié à, correspondant à
46	les circonstances	les événements, la situation, le cours des choses
51	une opportunité	une occasion, une possibilité
61	sans doute	je crois, certainement, probablement
69	supporter	tolérer, accepter
70	éprouver	ressentir
71	la magie	le charme, l'alchimie
71	le vertige	l'exaltation, la griserie
72	prendre	saisir, envahir
80	intimement	de près, étroitement
84	croiser le chemin	rencontrer, fréquenter
85	turbulent	agité
91	certainement	c'est vrai, c'est exact
92	une contrée	une région
94	renfermer	contenir, préserver, cacher
99	tant	tellement
100	prenant	absorbant, intense, passionnant
101	la chance	le bonheur
104	immense	considérable, important
105	l'illustration	la mise en œuvre, la réalisation, la concrétisation
109	l'hystérie	l'excitation, l'euphorie, la frénésie
122	morcelé	cloisonné, éclaté
124	aller dans le même sens	converger
124	nourrir	alimenter, renforcer
127	être confronté à	faire face à
129	une émeute	une révolte
134	épuiser	assouvir
145	en marge de	à l'écart de
146	effréné	trépident, débridé, agité
150	la précarité	la fragilité, la vulnérabilité
155	fixer	montrer, mettre à plat
155	retenir	préserver, conserver
156	au milieu d'eux	parmi eux
160	réaliser	prendre conscience, se rendre compte
161	ne pas être pressé	avoir le temps
164	plus en profondeur	moins superficiellement
179	s'efforcer de	tout faire pour
191	tourner	filmer
193	croiser	rencontrer
195	approximatif	vague

196	systématiquement	toujours, perpétuellement
203	boulimique	avide, insatiable
204	brûlant	sensible, sensationnel, spectaculaire
208	un drame	une tragédie
208	caricatural	réducteur, simplificateur
209	cibler	viser, rechercher, montrer
213	terrible	dramatique
214	justement	précisément
218	tenir	survivre
219	exagérer	amplifier, déformer
222	montrer la relativité	nuancer, mettre en relation
224	valable	vrai, applicable
226	tout est affaire de	c'est une question de
226	le souci de	le respect, le sérieux
232	restituer	montrer, exprimer, rendre compte de
234	perdurer	se maintenir
235	le cours des choses	les événements, l'évolution
236	surcharger	envahir
238	c'est plus qu'une affaire de	cela dépasse, va au-delà
240	absolument	exactement
247	comme un chien fou	sans réfléchir, éperdument
248	admettre	reconnaître, accepter l'idée

250	pénétrant	subtil, envoûtant
260	grave	sérieux
262	contraindre	obliger à, forcer à
262	la persévérance	la ténacité
267	une ascèse	une rigueur
274	assister	aider, soutenir
280	faire référence à	évoquer, citer, se référer à
287	simple	ordinaire
289	fasciné	séduit, captivé, passionné
294	honorable	respectable
295	malmener	affecter, troubler
299	l'impression	le sentiment
303	une approche	une démarche
310	redouter	craindre, avoir peur
312	le lot	le sort, le destin
313	une fracture	une rupture
313	en tout cas	quoi qu'il arrive, de toute façon
318	pénible	difficile, douloureux
318	appréhender	craindre, avoir peur
319	forcément	nécessairement, toujours
330	à l'occasion de	en préparant
338	troublant	émouvant, intéressant
341	pratiquement	presque
379	la nostalgie	le regret, le rêve perdu
383	marquer	frapper, influencer

[illegible] *reconstruire le chemin de fer et la route vers l'océan»*, observe Carlos Holguin Sardi, le gouverneur du département du Valle. Sage considération, qui ne suscite guère de réactions du côté de Bogota. *«C'est la pire crise de notre histoire»*, affirme le directeur du port. *Personne n'a prévu les conséquences de la politique d'ouverture. Le volume du commerce extérieur est en hausse de 35 % pour le premier trimestre de cette année. Nous étions accoutumés à une hausse moyenne de 10 % par an.» «Ce port est une des sept plaies d'Egypte»*, grogne un camionneur qui attend depuis cinq jours pour décharger ses vingt tonnes de sucre. Paradoxe : des parlementaires de la côte atlantique, traditionnellement influents dans la capitale, réclament davantage de sur ce que les habitants appellent le «continent», au-delà du pont del Pinal (de l'ananas), le seul en fait, étroit et encombré, qui unisse «l'île» au «continent».

«L'île», trois kilomètres de long sur un kilomètre et demi de large, plate, avec une seule colline pentue, la *loma*, qui domine les quais du port, à la partie noble de Buenaventura. Quelques vraies rues, asphaltées depuis peu, la capitainerie et les douanes, des banques, et la Maison du café, fière de ses douze étages. Quelques bars à filles aussi au bas de la colline à la Pilota. Ce qui reste de l'ancien secteur «chaud», le maire précédent, Gerardo Tovar, ayant décidé d'expulser les bordels clandestins mais tolérés vers le «continent», au kilomètre 7.

Le «continent»? Un bien grand mot pour une terre étroite, imbriquée dans la baie, également noyée d'embruns et encerclée régulièrement par ces vastes plages de vase que laisse la marée. Des grèves immenses et noires où les femmes des pêcheurs, jupes retroussées, marchent à la rencontre de leurs hommes et des barques échouées, chargées d'écailles brillantes comme l'argent. Vue du ciel et à marée basse, Buenaventura ressemble à une cité qui aurait été submergée par une coulée de boue. *«La première fois»*, dit [illegible] d'hélicoptère, [illegible] *Armero»* [illegible] ense[illegible] en [illegible] l'éruption du [illegible] del [illegible].

A la poin[illegible] la zone élégante, n'a pas 200 mèt[illegible] débarcadè[illegible] avec ses [illegible] et ses ven[illegible] a le char[illegible] années 30 [illegible] tée, d'une vingtaine de kilomètres de long. De ses patios on aperçoit les chaloupes qui traversent la rade vers les rives verdoyantes et touffues de la Bocana, les cargos pansus et rouillés, très hauts sur l'eau, qui attendent une place le long des quais d'un port submergé par un trafic en hausse depuis «l'ouverture économique» décidée en 1990 par le gouvernement.

Buenaventura, ville oubliée depuis des lustres par le pouvoir [illegible]

LE RÉSUMÉ EXERCICE

EDUCATION • CAMPUS

La double vie des étudiants salariés

Ils sont nombreux à mener de front études et activité professionnelle

LE calot sur la tête et le geste prompt, Jean-Luc actionne le percolateur d'un air distrait. Mais à quoi pense donc ce serveur modèle, entre la monnaie qu'il faut rendre et les soucis d'arrière-cuisine ? Aux clients qui se bousculent ou à sa licence d'histoire qu'il ne veut pas rater une seconde fois ? Aux examens qui approchent ou à ses fins de mois difficiles ? Car Jean-Luc fait partie de ces milliers d'étudiants qui vivent à califourchon entre l'université et la vie professionnelle, potaches un jour et salariés le lendemain, tour à tour studieux et laborieux.

Mal connue des différentes administrations, le plus souvent ignorée par les universités, difficile à repérer dans les statistiques, noyée dans la masse des étudiants en formation initiale, la population de ceux qui ont un emploi ne fait l'objet d'aucun recensement national. Etonnante ignorance au moment où le gouvernement lance un plan d'aide sociale en faveur des étudiants les plus démunis. En attendant les résultats de l'enquête systématique que les universités sont invitées, par le ministère, à lancer lors de la prochaine rentrée, certains établissements s'efforcent localement, d'y voir clair. C'est notamment le cas à Paris-I, Grenoble-II et Paris-VIII (Saint-Denis).

Premier constat : l'ampleur du phénomène. A Paris-I, une étude effectuée en 1987 montre qu'un tiers des personnes interrogées déclaraient être salariées, soit un étudiant sur cinq en premier cycle, un sur trois en deuxième cycle et un sur deux en troisième cycle. Parmi eux, 30 % étaient des étudiants salariés, les autres se rangeant dans la catégorie des adultes en formation continue ou en reprise d'études. A Paris-VIII, 41 % des personnes qui s'inscrivaient pour la première fois à l'automne 1989 étaient salariées. A Grenoble-II, enfin une enquête exhaustive menée à la rentrée 1989 indique que 37 % des étudiants envisageaient de travailler pendant l'année universitaire, 13 % d'entre eux comptant consacrer d'une à cinq heures hebdomadaires à une activité salariée, tandis que 11 % pensaient s'y atteler entre six et dix heures par semaine.

L'amour de l'indépendance

Dans l'ensemble, les étudiants salariés accordent une part d'autant plus grande à leur « job » qu'ils avancent dans leur cursus universitaire. En effet, le nombre des cours obligatoires s'amenuise au fur et à mesure qu'ils montent en grade, et la dépendance à l'égard des familles se fait plus pesante avec l'âge. Par ailleurs, les travaux réalisés à Paris-I montrent que, chez les étudiants de deuxième cycle, c'est la fonction publique qui accueille le plus grand nombre d'étudiants salariés (62 %), dont plus de la moitié dans l'éducation nationale.

Les quelques enquêtes disponibles démontrent également contrairement aux idées reçues que ce ne sont pas forcément les étudiants les plus démunis qui travaillent le plus à l'extérieur de l'université. Non seulement les boursiers n'ont, en principe, pas le droit de cumuler leur bourse avec un emploi rémunéré, mais il semble, selon les responsables de l'enquête grenobloise, que *« les budgets les plus élevés vont de pair avec une activité salariée plus importante »*.

Ainsi Gonzague, un étudiant de vingt-quatre ans inscrit en licence d'administration publique à Paris-XII, ne travaille pas pour survivre, mais *« pour être indépendant »*. Les deux ou trois jours qu'il consacre chaque semaine à faire des inventaires pour la Compagnie des wagons-lits lui rapportent environ 2 000 francs par mois, cette somme s'ajoutant à ce que lui donnent ses parents, qui financent le plus gros de ses études. Etudiant à Toulouse, Romain, lui aussi, reçoit chaque mois des subsides familiaux. Mais cela ne l'empêche pas de consacrer une bonne partie de son temps à un travail dans les réseaux de télécommunications, pour *« sortir de la fac. Car une maîtrise de géographie, cela n'occupe pas à plein temps et cela n'ouvre pas assez d'horizons ».*

Tous, évidemment, ne se trouvent pas dans cette situation somme toute privilégiée. Pour aider sa famille à payer ses études, par exemple, Mireille doit distraire une demi-journée par semaine à la préparation de l'Ecole nationale de la magistrature. Les 2 762 francs qu'elle gagne chaque mois comme surveillante dans un collège de la banlieue parisienne lui permettent, notamment, de payer ses livres et l'essence de sa voiture.

Le risque de perdre pied

Même lorsqu'ils travaillent par nécessité, les étudiants ne minimisent pas les aspects positifs de leur activité parallèle, la découverte du monde du travail, ses contraintes et ses satisfactions. Tous, ils affrontent un employeur, des collègues, le chômage parfois. Alexandre, qui complète « au noir » une maigre bourse en effectuant des livraisons pour un traiteur, estime que l'expérience lui permet d'échapper à la *« monotonie de la fac »* et l'oblige à *« avoir une discipline de vie pour pouvoir tout mener de front ».* Gonzague, lui, constate que la fréquentation de ceux qui ont arrêté leurs études très jeunes le pousse à *« une certaine humilité »*, mais l'incite aussi à vouloir poursuivre les siennes et à ne pas mésestimer sa chance.

Enfin, ces revenus personnels ont une saveur particulière pour les étudiants. Surtout lorsqu'ils font un travail qui leur plaît comme ce fut le cas de Tania. Inscrite en premier cycle à Paris-VIII, cette jeune femme pour qui le marketing téléphonique et les ménages n'ont plus de secrets a aussi fait beaucoup de gardes d'enfants. *« Comme j'adorais cela, explique-t-elle, j'avais bon moral et je me sentais stimulée dans mes études. »*

Pour autant, la vie des étudiants salariés n'est pas toujours facile. Ainsi, Tania se souvient avec une grimace des quatre heures de transport perdues pour se rendre dans un bureau de la banlieue parisienne. D'autres, comme Mireille, n'ont pas toujours pu concilier une activité salariée avec le minimum d'assiduité nécessaire pour éviter de se faire « coller » en fin d'année. Trop absorbée par quatorze heures de surveillance dans un externat, elle a eu le sentiment de se rendre à l'université « en touriste », durant son année de licence de droit. *« Très vite, ajoute-t-elle, j'ai perdu pied, j'étais épuisée et j'ai fini par redoubler. »*

Les services sociaux et médicaux des universités connaissent bien le problème de la fatigue engendrée par cette double vie. *« Avant les partiels, au moment où ils ont des devoirs à rendre, nous voyons arriver beaucoup d'étudiants travailleurs dans notre service,* souligne Jeanine Millet, infirmière à Paris-VIII. *Ils viennent chercher des fortifiants car ils sont surmenés, parfois au bord de la dépression. »* D'où la rancœur de certains étudiants qui se plaignent de l'incompréhension de leurs professeurs, mais aussi le souci qu'ont plusieurs établissements d'aménager leurs horaires pour ce public encore mal connu.

RAPHAËLLE RÉROLLE

Le Monde, 23 mai 1991

LIRE POUR RÉSUMER

Le texte et vous

1. En utilisant exclusivement les informations données par les titres et les deux intertitres, complétez la phrase suivante :

Certes, les étudiants qui travaillent..., mais ils s'exposent...

Vous et le sujet du texte

2. Si vous aviez feuilleté Le Monde du 23 mai 1991, auriez-vous lu cet article ? Pour quelles raisons ?

3. Ce document ne comporte ni dessin, ni photo. Parcourez-le rapidement afin de déterminer quel type d'illustration lui conviendrait sûrement, peut-être ou pas du tout :

– un dessin humoristique montrant un étudiant qui se noie,
– un graphique présentant des statistiques,
– une photo montrant une dispute entre des parents et une jeune adolescente.

Dites pour quelles raisons.

L'auteur, le texte et vous

4. D'après les premières lignes de chaque paragraphe, quelles ont été les sources d'information de la journaliste ?

– un livre vendu en librairie,
– des interviews,
– des documents diffusés par le ministère de l'Éducation Nationale,
– des statistiques internes à quelques universités
– des reportages sur les lieux de travail des étudiants.

5. Les titres et les deux intertitres ont-ils pour fonction :

– d'attirer le lecteur par une formulation surprenante,
– de présenter globalement le contenu de l'article,
– de poser un problème auquel l'article apportera des solutions.

6. À votre avis, cet article est-il plutôt :

– informatif,
– polémique,
– anecdotique.

RÉSUMER POUR QUI ?

7. LES CONTRAINTES DE L'EXERCICE

1. Réduire le texte en respectant la longueur imposée.
2. Rester fidèle au sens du texte.
3. Se limiter à son contenu.
4. Respecter la structure du texte : ne pas bouleverser l'ordre général des informations.
5. Reformuler le contenu : ne pas reprendre mot pour mot des extraits du texte.
6. Réécrire le texte sans l'introduire par des verbes du discours tels que : «la journaliste dit que... pense que...».
7. Ne pas introduire de commentaires personnels.

8. Cet article, de 1 300 mots, a été résumé ci-dessous par un francophone. La longueur imposée était de 350 mots. Remettez dans l'ordre les phrases ou les parties de phrase des paragraphes 1, 2, 4 et 5 de ce résumé.

PARAGRAPHES 1 ET 2 :

a. En effet, comment faire preuve du sérieux et de la concentration qu'exigent simultanément des études universitaires et un emploi salarié ?

b. Il est certain qu'un étudiant qui doit, ou qui souhaite, travailler est confronté à des problèmes réels, générés par cette double vie.

c. on ne dispose pas encore, à l'échelle nationale, d'informations fiables sur l'importance numérique du phénomène ni sur la situation des étudiants salariés.

d. Une étude systématique est prévue pour la rentrée 92.

e. Or, en 1991, au moment où le gouvernement met en place un plan d'aide sociale destiné aux étudiants en difficultés financières,

PARAGRAPHE 3 :

Pour l'instant, les résultats de quelques enquêtes partielles révèlent :

– qu'environ un tiers des étudiants ont un emploi salarié. C'est une proportion importante.

– que plus ils avancent dans le cursus universitaire, plus ils sont nombreux et plus ils consacrent de temps à leur activité professionnelle. Cela s'explique autant par la diminution du nombre de cours obligatoires que par l'amplification du besoin d'indépendance lié à l'âge.

– une grande disparité dans les types d'emploi aussi bien que dans leur durée hebdomadaire.

Paragraphe 4 :

a. élargir leur horizon au monde du travail, rompre une certaine routine des études, apprendre à s'organiser en se confrontant à d'autres types de contraintes, prendre conscience du privilège qui est le leur… etc.

b. Au delà des chiffres, c'est certainement au sujet des motivations de ces étudiants salariés que les enquêtes sont les plus instructives.

c. En effet, y compris parmi ceux qui travaillent par nécessité où pour satisfaire leur désir d'indépendance, beaucoup attendent, ou découvrent chemin faisant, bien d'autres avantages à leur choix :

d. Sans compter le plaisir de l'argent gagné personnellement et celui, parfois, de faire un travail que l'on aime.

PARAGRAPHE 5 :

a. Certains en font l'amère expérience.

b. il arrive que la fatigue chronique et les absences répétées compromettent les chances de succès aux examens.

c. Leurs doléances commencent seulement à être entendues par certaines universités qui s'efforcent d'aménager les horaires à leur intention.

d. Pourtant, dans les conditions qui sont les leurs actuellement, ces étudiants savent bien qu'ils prennent des risques :

9. Identifiez les éléments qui vous ont permis de reconstruire le résumé.

10. Recherchez dans l'article les mots, phrases ou expressions qui sont à l'origine de chaque unité de sens du résumé. Aidez-vous du tableau «Dire autrement» (pp. 63 et 64).

11. Donnez votre point de vue sur la sélection des informations :

– y a-t-il, selon vous, des informations essentielles qui n'ont pas été retenues ?

– y a-t-il des informations retenues que vous jugez inutiles ?

12. La contrainte n° 3 (act. 7) a-t-elle été respectée : le résumé contient-il des informations qui ne se trouvent pas dans l'article ?

13. Observez le choix de formulations **plus globales**.
Le premier paragraphe de l'article décrit, en détail, les difficultés concrètes d'un étudiant.

Cette série d'actions, de pensées et d'attitudes est globalement reformulée par :

…, confronté à des problèmes réels…

De même, la série de questions est-elle globalement reformulée par une question unique :

En effet, comment faire preuve…

Poursuivez ce travail d'observation.

14. Observez le choix de formulations **plus générales**.

Les témoignages d'étudiants permettent de dégager quelques grands types de motivations, de les classer, puis de les intégrer dans une phrase du résumé :

…, bien d'autres avantages à leur choix : élargir leur horizon au monde du travail, rompre une certaine routine…

Poursuivez ce travail d'observation.

15. Observez le choix des formulations **plus abstraites**.

---

ligne 173 : … n'ont pas pu concilier le minimum d'assiduité nécessaire pour éviter de se faire «coller»…
ligne 181 : … en touriste…
ligne 184 : … j'étais épuisée et j'ai fini par redoubler.

… la fatigue chronique et les absences répétées compromettent les chances de succès aux examens.

Poursuivez ce travail d'observation.

16. Observez comment le choix de formulations à la fois plus globales, plus générales et plus abstraites entraîne des transformations d'ordre lexical et syntaxique.

---

ligne 32 : … l'enquête systématique que les universités sont invitées à lancer…

Une étude… est prévue…

---

ligne 133 : … ne minimisent pas les aspects positifs…
ligne 142 : … estime que…
ligne 147 : … constate que…

… beaucoup attendent ou découvrent chemin faisant…

---

ligne 148 : … le pousse à…
… l'incite à… ne pas mésestimer sa chance.

…, prendre conscience du privilège qui est le leur.

Poursuivez ce travail d'observation.

17. La nécessité de sélectionner fait disparaître des pans entiers du texte de départ. Les relations entre les idées doivent donc être reconstruites et explicitement formulées.
Reportez-vous à l'activité 9 pour identifier les marques d'articulation du résumé, et comparez point par point avec celles de l'article.

---

ligne 28 : Étonnante ignorance…

Or, au moment même où…

---

18. En utilisant librement le résumé reconstitué (voir corrigé p. 93) et en vous reportant au contenu de l'article, faites un nouveau résumé de 125 mots. Aidez-vous du tableau «Dire autrement» (pp. 63 et 64).

19. Relisez votre production en reprenant point par point les contraintes de l'exercice (act. 7).

20. Vérifiez particulièrement si la nouvelle sélection que vous avez opérée pour réduire, respecte globalement le sens de l'article (contrainte 2).

21. Si vous avez conservé des extraits du premier résumé, vérifiez s'ils s'articulent bien avec vos nouvelles reformulations.

22. Si votre résumé est trop long, essayez d'aller plus loin dans la globalisation, la généralisation et l'abstraction, tout en respectant le sens de l'article.

23. Vérifiez la correction de la langue, l'orthographe et la ponctuation.

Commenter, c'est préciser

1. L'article porte-t-il plutôt sur les étudiants
– qui exercent une activité professionnelle plus ou moins régulière, en plus de leurs études.
– ou sur les personnes qui suivent ou reprennent des études universitaires, en plus de leur activité professionnelle ?

2. La majorité des étudiants salariés travaillent-ils dans le secteur privé ou dans le secteur public ?

3. D'après cet article, tous les étudiants français reçoivent-ils une bourse d'études ?

4. Pour quelles raisons les autorités se préoccupent-elles actuellement de la situation des étudiants salariés ?

Commenter, c'est donner son point de vue

... sur la qualité de l'article

5. Sur quels aspects du sujet la journaliste donne-t-elle le plus d'informations :
- le système universitaire français ?
- le système social d'aide aux étudiants ?
- les motivations des étudiants salariés ?
- les conséquences de leur double vie sur leurs études ?

6. Quelles conclusions en tirez-vous sur la qualité de l'article, compte tenu des lecteurs auxquels il s'adresse ?

7. Quelles informations supplémentaires aimeriez-vous personnellement obtenir ?

... sur le contenu de l'article

8. **Les budgets les plus élevés vont de pair avec une activité salariée plus importante** (ligne 94)
Dans quelle mesure les témoignages confirment-t-il cette déclaration ?

9. Cette information vous surprend-elle ? Pour quelles raisons ?

10. À votre avis, en France, le nombre d'étudiants salariés va-t-il encore augmenter dans les prochaines années ? Défendez votre point de vue.

Commenter, c'est comparer des cultures

11. Comparez la situation des étudiants de votre pays à celle des étudiants français du point de vue :
- de l'aide qui leur est accordée,
- de leurs motivations pour exercer une activité professionnelle.

Débattre, c'est parfois s'opposer

12. Réagissez à ces affirmations. Exposez et défendez votre point de vue face à un interlocuteur qui s'oppose systématiquement à vous.

a. Travailler tout en faisant des études ne présente que des inconvénients.
b. Le devoir des parents est de payer entièrement les études de leurs enfants.
c. On n'est pas vraiment adulte tant qu'on n'est pas financièrement indépendant.
d. L'État devrait fournir à tous les étudiants la même aide financière et sociale.
e. Dans la vie, il y a un temps pour étudier et un temps pour travailler.

	mener de front	cumuler, mener simultanément
2	prompt	rapide
4	distrait	absent, indifférent
6	modèle	appliqué, parfait
9	se bousculer	se presser, affluer
10	rater*	échouer à
12	les fins de mois difficiles	les difficultés d'argent
15	à califourchon	partagé, en équilibre
17	potache*	élève, étudiant
23	repérer	trouver, identifier
24	noyé dans la masse	perdu, occulté
27	faire l'objet de	donner lieu à, être le thème de
28	étonnante	surprenante
29	au moment où	alors que
29	lancer	entreprendre, mettre en place
30	en faveur de	destiné à
31	démuni	dans le besoin, en difficulté
33	systématique	méthodique, approfondi
34	être invité à	être prié de

37	y voir clair	avoir une idée précise de la situation, avoir des informations fiables
38	notamment	par exemple, entre autre
41	l'ampleur	l'importance numérique
42	effectuer	réaliser, faire, mener
51	se ranger	faire partie de, appartenir à
58	exhaustif	complet
58	mener	réaliser
60	envisager	projeter, avoir l'intention de,
62	compter	penser, envisager, projeter
65	s'atteler à*	se mettre à, se consacrer à,
68	accorder	consacrer, réserver
70	avancer	progresser
72	s'amenuiser	diminuer, se réduire
72	au fur et à mesure	conjointement, proportionnellement
74	à l'égard de	vis-à-vis de, par rapport à
75	pesant	lourd, pénible
75	par ailleurs	en outre, de plus, d'un autre côté
79	accueillir	recevoir
83	disponible	diffusé, accessible
85	les idées reçues	les clichés
86	forcément	nécessairement, toujours
90	en principe	théoriquement
91	cumuler	ajouter, accumuler
95	aller de pair	être associé, correspondre, accompagner

97	ainsi	par exemple
108	le plus gros de	la plus grande part, la majorité
111	un subside	une aide financière
119	évidemment	bien sûr, bien entendu
120	somme toute	tout bien considéré, de fait
123	distraire	retirer
133	minimiser	sous-évaluer, négliger
136	une contrainte	une obligation
137	une satisfaction	une joie, un plaisir
140	maigre	petite, faible
143	permettre	donner l'occasion, la possibilité
144	monotonie	ennui, routine
145	avoir une discipline de vie	s'organiser
149	pousser à	inciter à, favoriser
152	mésestimer	minimiser, négliger, sous-estimer
155	une saveur	un goût, un charme
167	pour autant	cependant, toutefois
174	concilier	combiner, réussir simultanément
175	une assiduité	une présence régulière
176	se faire coller*	échouer
177	absorbé	pris, occupé, accaparé
182	perdre pied	ne plus suivre, être perdu
188	engendrer	entraîner, provoquer
190	un partiel	un contrôle
194	souligner	remarquer, noter
196	surmené	éreinté
198	rancœur	amertume, lassitude
201	le souci	la préoccupation

INITIATIVES
EMPLOI

Pas d'argent sale aux guichets

Associées à la lutte contre la drogue,
les banques forment leur personnel à débusquer les trafiquants

Mallettes bourrées de billets de banque, arrestations musclées d'un trafiquant de drogue, jeunes en train de s'injecter une dose d'héroïne, le tout sur une musique rock… Cela pourrait être un extrait d'un téléfilm. Il s'agit en fait de la première séquence d'une vidéo de quinze minutes réalisée par l'Association française des banques (AFB) et le Centre de formation de la profession bancaire (CFPB). Ce film, qui sera prochainement diffusé dans la plupart des banques, est destiné à sensibiliser le personnel à la lutte contre le blanchiment de l'argent de la drogue.

La loi du 12 juillet 1990 et son décret d'application du 13 février 1991 prévoient en effet l'obligation pour les banques de mettre en place un système de vigilance et de déclarer toute opération suspecte à Tracfin, la cellule spéciale mise en place au ministère des Finances ; les établissements bancaires doivent en outre organiser l'information et la formation du personnel concerné.

L'AFB a donc concocté cette vidéo qui présente ensuite, sous forme de sketchs, différents exemples de blanchiment, tous inspirés de faits réels. Comme le cas de ce restaurateur, *« un gars plutôt sympa »*, raconte le comédien interprétant un employé de banque, qui déposait chaque semaine sa recette en liquide jusqu'à ce que des guichetiers s'aperçoivent que son restaurant était désert. Une anecdote qui, en évoquant l'affaire de la « pizza connection », dans les années 80, aux États-Unis, souligne que le milieu utilise souvent les restaurants pour blanchir l'argent sale et que les trafiquants ont en général un air sympathique !

CONCERTATION. Avant d'être diffusé, le film a été projeté aux responsables syndicaux. *« Nous avons tenu compte de certains commentaires sur le scénario mais ils n'ont pas*

trouvé à redire sur le fond, sachant que le film serait complété par une formation », précise Christian d'Oléon, directeur de la communication de l'AFB. Le film a été conçu en concertation avec dix-sept banques, mais l'AFB souhaite que *« les quatre cent cinquante mille salariés du secteur, du président au guichetier »*, le voient.

La formation devrait faire l'objet d'un séminaire d'environ deux heures pour présenter tous les aspects de la lutte contre le blanchiment, depuis l'explication de termes tels que « acide », « blanche » ou « fix » en passant par l'évaluation économique de ce « marché », la mobilisation internationale, les textes de loi, la stratégie des trafiquants et enfin, le plus important, l'action concrète des banques, notamment la conduite à tenir en cas de soupçons. A savoir : en référer immédiatement à son supérieur hiérarchique, qui lui-même s'adresse au « monsieur blanchiment » que chaque banque doit avoir désigné. C'est ce dernier qui, après examen du cas, décide ou non de contacter Tracfin. La manière de réagir des employés est donc très délicate.

« Etre vigilant ne veut pas dire soupçonner tout le monde, précise l'AFB. *En même temps, le soupçon peut être très mince. L'employé doit donc connaître son client, savoir ce qu'il fait. Et si, tout à coup, il reçoit une énorme somme en liquide, se demander à quoi cela correspond tout en restant discret. »* Que penser en effet de l'exemple de cette employée de banque qui, s'étonnant de l'activité anormale de son client, lui en fait part. Du coup, le suspect a clos son compte et il a disparu dans la nature. Peut-on présumer un délit de complicité de la part de l'employée, dans la mesure où son attitude a alerté le client ? Telle est la question que le formateur devra poser à son auditoire pour susciter un débat. Une question d'importance puisque la loi prévoit des sanctions pénales envers le personnel qui aurait volontairement informé un client faisant l'objet d'une déclaration.

CHOC DES IMAGES. Comment les salariés percevront-ils le message ? Pas évident, en effet, de former des employés, jusque-là tenus au secret bancaire, à devenir des dénonciateurs. Ce que, côté syndical, certains traduisent par : transformer le personnel en « *auxiliaire de police* ». En tout cas, la violence des premières images de la vidéo ne laisse aucun doute. *« Nous avons voulu montrer que nous n'avons pas d'états d'âmes,* martèle l'AFB, qui préfère ne pas y voir une révolution dans les mentalités, tant, selon elle, *la vigilance réside déjà dans la tradition des banquiers français. »* Sans doute, mais elle se limitait jusqu'à présent au refus du banquier d'effectuer une opération douteuse et à clore le compte concerné. Aujourd'hui, il s'agit véritablement de déroger au secret bancaire, faute de quoi la banque est passible de sanctions.

« On doit passer d'une attitude passive à une attitude active, analyse le responsable de la lutte contre le blanchiment à la direction de la déontologie de Paribas. *On nous demande de jouer un rôle d'informateurs. Ce n'est pas très plaisant. En même temps, je suis convaincu que la lutte contre la drogue passe par celle contre le blanchiment. » « Je préfère encore supporter la mauvaise image des indics plutôt que l'abominable image du banquier complice du blanchiment de l'argent de la drogue,* renchérit Christian d'Oléon, à l'AFB. *Ce ne sera sans doute pas facile à faire passer auprès des salariés. C'est pourquoi nous avons demandé le concours de spécialistes de la formation. »*

Dans la plupart des banques, l'opération devrait débuter avant l'été, et, dans dix-huit mois, un bilan sera établi. Chez Paribas, une trentaine de volontaires ont déjà visionné la bande. Première impression : *« Elle a provoqué un choc salutaire,* estime le responsable. *On ne peut pas parler de l'argent de la drogue sans la montrer. »* Les salariés qui sont touchés, directement ou indirectement, par le problème de la drogue ne seront peut-être pas de cet avis. C'est pourquoi, après le choc des images, l'AFB recommande aux formateurs de moduler leurs propos.

Francine Aizicovici

Le Monde, Mercredi 29 mai 1991

Le texte et vous

1. À partir de l'origine du document, des titres et du dessin de Pessin, situez l'article.

- De quel secteur professionnel est-il question ?
- De quel type d'initiative s'agit-il : sa nature, ses objectifs, sa raison d'être ?
- L'argent sale évoque une réalité du monde moderne ; laquelle ?

2. Observez le dessin.
Pourquoi peut-on dire que le nom du client n'a pas été choisi par hasard ?
À quoi et comment réagit l'employé ? À qui téléphone-t-il ? Pour quoi faire ?
Pensez-vous que le client écoute la conversation ?
Qu'y a-t-il de comique dans ce dessin ?
Pessin veut-il démontrer la nécessité ou l'inutilité de cette formation ?

Vous et le sujet du texte

3. Que savez-vous

- des rapports entre la drogue, l'argent et les banques ?
- de la nouvelle loi française qui associe les banques à la lutte contre la drogue ?

Complétez vos connaissances en lisant les paragraphes 2 et 6 de l'article.

4. Lisez le premier et le dernier paragraphe de l'article. À la ligne 160, que désigne «l'opération» ? Au mois de mai 1991 :

- le bilan global de la formation était-il fait ?
- la formation était-elle encore dans la phase d'expérimentation ?
- le projet de formation était-il abandonné ?

5. Rassemblez, en une seule phrase, le contenu du titre, du sous-titre, des intertitres et du dessin.

L'auteur, le texte et vous

6. D'après le premier et le dernier paragraphes, le but essentiel de la journaliste est-il plutôt :

- de lancer une polémique à propos de cette initiative ?
- d'informer les lecteurs sur cette initiative ?

7. De ces deux reformulations de la fin de l'article (lignes 168-175), quelle est la plus fidèle au sens du texte ?

a. Contrairement à ce qu'affirme le responsable de Paribas, il n'est pas évident que le choc des images soit positif pour tout le monde. L'AFB l'a compris et prend des précautions.
b. Contrairement à l'opinion des responsables de Paribas et de l'AFB, le choc des images n'est pas forcément bénéfique pour tout le monde.

8. Lisez l'article dans sa totalité. Les deux intertitres, «Concertation» et «Choc des images» sont-ils bien choisis ? Pourquoi ?

Distinguez...

9. Ce que dit la journaliste
Reformulez en quelques phrases, les paragraphes 1, 2 et 5, qui ne contiennent pas de citations. Tenez compte de la façon dont vous avez situé l'auteur de l'article (activité 6).
Aidez-vous du tableau : «Dire autrement» (pp. 70 et 71).

10. Ce que cite la journaliste
Reformulez les paragraphes qui contiennent des citations. Pour cela, demandez-vous :

- Qui est cité ?
- Quel est le verbe utilisé pour introduire la citation et quelle est la raison de ce choix ?
- Qu'apporte la citation au sens du texte par rapport à ce qui précède et ce qui suit ?
- Quel contenu apporte la citation par rapport à ce qui précède et à ce qui suit ?

Aidez-vous du tableau : «Dire autrement» (pp. 70 et 71).

11. LES CONTRAINTES DE L'EXERCICE

1. Réduire le texte en respectant la longueur imposée.
2. Rester fidèle au sens du texte.
3. Se limiter à son contenu.
4. Respecter la structure du texte : ne pas bouleverser l'ordre général des informations.
5. Reformuler le contenu : ne pas reprendre mot pour mot des extraits du texte.
6. Réécrire le texte sans l'introduire par des verbes du discours tels que : «la journaliste dit que..., pense que...».
7. Ne pas introduire de commentaires personnels.

12. Améliorez ce résumé écrit par un étudiant. La longueur demandée était de 200 mots, pour cet article qui en contient 1000.

1. Comptez les mots.
2. Complétez-le si vous jugez que toutes les informations essentielles n'ont pas été sélectionnées.
3. Supprimez les informations que vous jugez inutiles.
4. Recherchez dans l'article l'origine des idées formulées afin de contrôler et d'améliorer la fidélité au sens.
5. Vérifiez qu'il ne contienne pas des informations qui ne se trouvent pas dans l'article.
6. Remarquez les passages difficiles à comprendre. Trouvez les causes de ces difficultés et proposez des moyens pour les résoudre.
7. Vérifiez si les enchaînements logiques ou chronologiques entre les différentes idées sont apparentes.
8. Améliorez l'utilisation des temps.
9. Améliorez le degré et la qualité de reformulation.
10. Corrigez les erreurs de langue.

En France, le gourvernement a introduit une loi et des règles pour faire joindre les banques dans la lutte contre les drogues. Les banques sont obligées d'informer les autorités en cas de soupçons en ce qui concerne les dépôts de ses clients.

L'association française des banques a commandé l'aide d'un institut professionnel pour instruire le personnel bancaire de ce nouveau développement. On a réalisé une vidéo dans laquelle on explique les choses techniques : les gains et aussi des méthodes pour les faire blanchir.

Le plus important de cette vidéo concerne la conduite à tenir en cas de soupçons. Une réaction trop informative pourrait faire fuir le suspect. Alors les employés doivent réagir avec soins. Ils doivent avertir leurs supérieurs et ils doivent décider s'ils vont contacter le service spécial ou non.

Les réactions des employés sont prudentes. D'abord, ils considèrent la nouvelle obligation en un changement principal en ce qui concerne le secret bancaire, mais aussi, dans la pratique actuelle, le personnel bancaire se comporte vigilant. C'est ainsi que le changement d'attitude n'entraînera aucun problème. Le programme d'éducation durera dix-huit mois et est actuel depuis mai. Après, on va évaluer les résultats. La vidéo a choqué les employés qui l'ont visionnée. C'est important d'avoir une idée de l'opinion des employés parce que leurs idées ne seraient pas comparables avec un petit groupe d'employés de la banque de Paribas.

13. En utilisant librement ce résumé d'étudiant et le contenu de l'article, rédigez un nouveau résumé de 150 mots.

14. Rédigez un texte **dynamique** et **cohérent** : en effet, le lecteur de votre résumé a besoin de voir le texte progresser tout en repérant comment les idées s'enchaînent les unes aux autres. Pour cela, chaque phrase doit, à la fois,

– apporter des éléments d'informations nouveaux par rapport aux précédentes : c'est la progression ;
– rappeler ce qui précède ou annoncer ce qui suit : ce sont les phénomènes de reprise.

15. Afin de repérer quelques moyens d'obtenir cet équilibre, recherchez dans l'article les mots de cet extrait qui ont été effacés :

Que penser en effet de l'exemple de **(1)** employée de banque **(2)** , s'étonnant de l'activité anormale de **(3)** client, **(4)** en fait part. Du coup, **(5)** **(6)** a clos son compte et **(7)** a disparu dans la nature. Peut-on présumer un délit de complicité de la part de l' **(8)** , dans la mesure où son **(9)** a alerté le client ? Telle est la **(10)** que le formateur devra poser à son auditoire pour susciter un débat.

16. Dans le tableau ci-dessous, indiquez par une croix à quelle catégorie appartient chaque mot utilisé.

	1	2	3	4	5	6	7	8	9	10
Exemple : Article défini					+					
Adjectif démonstratif										
Adjectif possessif										
Pronom sujet										
Pronom complément										
Pronom relatif										
Nom reprenant une phrase										
Nom reprenant plusieurs phrases										
Synonyme dans le contexte										
Répétition d'un terme, avec changement de déterminant										

17. Pour chaque mot numéroté dans l'extrait, dites si sa fonction est plutôt de reprendre ce qui précède ou d'annoncer ce qui suit.

18. Pour améliorer votre résumé, reprenez point par point les contraintes de l'exercice et reportez-vous particulièrement aux activités suivantes :

– activité 6 : la fonction et le ton de l'article sont-ils respectés ?
– activité 12 (7) : les relations de sens entre les différentes idées sont-elles explicites ?
– activités 14 à 17 : a-t-on l'impression d'avancer dans le contenu tout en suivant l'enchaînement des idées ?

19. **Évaluer pour noter.**
Utilisez ce barème pour noter la production d'étudiant (act. 12), puis votre propre résumé.

LA COMPRÉHENSION DU TEXTE
1. Compréhension de sa fonction essentielle 3 points
2. Sélection des informations principales 5 points
3. Compréhension des relations entre idées 4 points /12

QUALITÉ DU RÉSUMÉ EN TANT QUE TEXTE
1. Respect de l'ordre général du texte 3 points
2. Degré et qualité de la reformulation 6 points
3. Dynamique et cohérence : progression et reprises 4 points
4. Respect de la longueur demandée 3 points /16

CORRECTION DE LA LANGUE
1. Grammaire : morphologie et syntaxe 4 points
2. Lexique : choix et variété 6 points
3. Orthographe et ponctuation 2 points /12

total /40

20. Si vous le jugez nécessaire, améliorez ce barème.

Commenter, c'est préciser

1. Quel est le contenu du film vidéo ? Comment est-il organisé ?

2. En quoi consiste le séminaire de formation ?

3. Quelles sont les catégories de personnel bancaire qui accueillent l'initiative :

– le plus favorablement ?
– le moins favorablement ?

À votre avis, comment ce décalage peut-il s'expliquer ?

Commenter, c'est donner son point de vue

... sur la qualité de l'article

4. Connaissez-vous le slogan publicitaire du magazine Paris-Match : «Le poids des mots, le choc des photos» ? Que pensez-vous de son évocation dans le deuxième intertitre ?

5. Trouvez-vous cet article clair et suffisamment informatif ? Quels aspects auriez-vous souhaité voir plus longuement développés ? De quelle façon et pour quelles raisons ?

6. Pourrait-on remplacer le dessin de Pessin par un autre type d'illustration ? Lequel ? Pourquoi ?

... sur le contenu de l'article

7. Pensez-vous que la loi du 12 juillet 1990 soit une bonne loi pour lutter contre la drogue ?

8. À votre avis, les objectifs de cette formation seront-ils pleinement atteints ? Pourquoi ?

9. Pensez-vous, comme la journaliste du Monde, que «le choc des images» puisse avoir des effets négatifs ? Dans quels cas et pour quelles raisons ?

Commenter, c'est comparer des cultures

10. Dans le journal que vous avez l'habitude de lire, un article sur le blanchiment de l'argent de la drogue aurait-il sensiblement le même contenu ? Précisez.

11. Dans votre pays, le fait d'aider la police serait-il ressenti de la même manière ?

Débattre, c'est parfois s'opposer

12. Réagissez à ces affirmations. Exposer et défendez votre point de vue face à un interlocuteur qui s'oppose systématiquement à vous.

a. Les trafiquants et les malfaiteurs de haut niveau ont souvent l'air sympathique.
b. Le seul devoir d'un employé chargé de l'accueil des clients est de répondre à leur demande.
c. Débusquer les trafiquants, c'est l'affaire de la police.
d. La violence liée à la drogue est suffisamment montrée à la télévision. Ce film est inutile.
e. L'employé de banque qui fait fuir un suspect est toujours complice.

	un gros bonnet*	une personne influente
1	bourré	plein à craquer
3	musclé*	violent
6	le tout	l'ensemble
9	en fait	en réalité, de fait
14	prochainement	bientôt, sous peu
16	être destiné à	avoir pour but, pour objectif
16	sensibiliser	faire prendre conscience, attirer l'attention
22	mettre en place	organiser, mettre en œuvre, installer
24	suspect	douteux, anormal, bizarre
27	en outre	de plus, aussi, également
29	concerné par	touché par, ayant un rôle à jouer dans
30	concocté*	concevoir, imaginer
34	inspiré de	adapté de, à partir de
34	comme	ainsi

36	sympa(thique)*	agréable, plaisant
36	raconter	relater
36	interpréter	jouer le rôle de
39	en liquide	en espèces
40	s'apercevoir	découvrir, se rendre compte
41	désert	vide
42	évoquer	rappeler
44	souligner	mettre en avant, en relief
45	utiliser	se servir de, avoir recours à
47	en général	la plupart du temps
50	projeter	montrer
51	tenir compte de	prendre en compte, respecter
54	trouver à redire	critiquer
60	souhaiter	espérer, avoir l'intention
64	faire l'objet de	donner lieu, prendre la forme de
70	en passant par	sans oublier
76	notamment	particulièrement, surtout
77	à savoir	c'est-à-dire
77	en référer	informer, soumettre
82	désigner	nommer
86	délicat	subtil, complexe, embarrassant
94	vigilant	attentif
88	préciser	faire remarquer, noter, spécifier
90	mince	faible, léger
95	discret	modéré, réservé, prudent
95	que penser de	comment juger
99	faire part de	informer, en référer à
99	du coup*	à la suite de cela

101	dans la nature	sans laisser d'adresse
103	dans la mesure où	étant donné que, puisque
106	susciter	provoquer, déclencher, favoriser
109	envers	à l'encontre de
114	percevoir	interpréter, ressentir
115	pas évident	pas facile
115	en effet	en réalité, effectivement
116	être tenu à	obligé de respecter
119	traduire	interpréter, comprendre
121	en tout cas	quoi qu'il en soit, ce qui est sûr
122	ne laisser aucun doute	être clair, sans ambiguïté
125	états d'âme	hésitation, scrupules, complexes
125	marteler	insister, répéter
128	résider	faire partie de, être présent
130	sans doute	certes
133	concerné	en question
135	déroger à	transgresser, contrevenir à, faire abstraction de
135	faute de quoi	dans le cas contraire
140	analyser	résumer, en substance
144	pas très plaisant	désagréable, inconfortable
149	supporter	assumer
150	abominable	terrible, détestable
153	renchérir	revenir sur, reprendre, confirmer
155	faire passer	faire accepter
166	salutaire	bénéfique, positif
169	touché	concerné, frappé
174	moduler	nuancer, atténuer

Mentalités

France-Etats-Unis : les idées reçues

par Jacques Portes

Le sondage croisé franco-americain commandité par la Fondation franco-américaine et dont les résultats sont parus dans le Monde du 9 mars, m'a semblé curieusement dénué de toute actualité dans la mesure où ce qui en fait la substance pourrait correspondre à ce qu'aurait donné un sondage de 1891, si tant est qu'il y en ait eu…

Aujourd'hui, les Français sont 76 % à faire confiance à la technologie américaine, mais seulement 44 % à croire en la valeur de la culture américaine. Ces données, pour en rester à la vision française, sont étonnantes puisque la technologie américaine – à l'heure de la concurrence japonaise – n'est plus ce qu'elle était aux lendemains de la deuxième guerre mondiale, alors que la culture américaine semble envahir nos écrans et grandement influencer les jeunes. Mais, plus étonnant encore, est le fait qu'il y a cent ans, les Français pensaient à peu près la même chose.

A travers la presse et les ouvrages du temps, j'ai reconstitué ce que pouvaient représenter les Etats-Unis dans l'opinion française de 1870 à 1914. Or, déjà à ce moment-là, les Français avaient renoncé à disputer aux Américains la suprématie économique et industrielle. Ils pensaient que les Etats-Unis avaient bénéficié d'avantages indus d'une nature pléthorique, qu'ils n'avaient pas hésité à utiliser des méthodes frauduleuses pour bâtir leur puissance économique et que leur vie *« truquée et machinée »*, pour reprendre les termes d'un ingénieur grenoblois, n'était vraiment pas enviable.

Sans doute accomplissaient-ils, tous les jours, des prouesses techniques, mais pour quelle fin, à quoi bon ? En effet, ces mêmes Américains ne pouvaient prétendre à aucune valeur culturelle ; ils empruntaient les artistes européens et achetaient leurs œuvres parce qu'ils n'avaient rien d'autre à proposer. De ce côté, les Français pouvaient dormir sur leurs deux oreilles, leur suprématie culturelle étant incontestée et incontestable ; les Américains n'offraient que médiocres comédies musicales, une architecture sans âme, quant à leur littérature, elle se distinguait à peine de la britannique dont elle était issue.

Le sondage d'aujourd'hui, en dépit des réalisations américaines du vingtième siècle, en dépit de l'émergence d'une puissante littérature, d'un cinéma fascinant, d'une musique envahissante, prouve que ces attitudes anciennes n'ont pas disparu. Elles constituent la trame de l'opinion française à l'égard des Etats-Unis, et la réciproque est certainement aussi vraie, à coups de vins français et de légèreté économique et technologique.

Une telle permanence oblige à se poser quelques questions. Français et Américains ne se seraient-ils jamais compris, ou se seraient-ils trop bien compris ? On ne peut nier, en effet, que la France ait été plus douée pour la mode et les vins que pour les innovations technologiques, que les Américains se soient satisfaits parfois de formes culturelles peu exaltantes. Mais, dans le même temps, les deux sociétés ont évolué, se sont considérablement diversifiées, et il est absurde de se contenter de ces visions globales et simplificatrices, auraient-elles un fond de vérité.

Les sondages, toujours discutables n'en sont pas moins révélateurs. Celui-ci montre que les mentalités ne changent pas vite, que la compréhension entre les peuples n'est souvent qu'un vœu pieux.

▶ Jacques Portes est professeur de civilisation des Etats-Unis à l'université Charles-de-Gaulle-Lille-III.

Le Monde, 22 mars 1991

LIRE POUR RÉSUMER

Le texte et vous

1. Quelles informations Le Monde vous donne-t-il sur l'auteur de cet article ? Pour quelles raisons le fait-il ?

2. Pensez-vous que le sujet du texte appartienne plutôt au domaine sportif, économique, culturel, politique ou sociologique ?

3. Trouvez quelques expressions synonymes de «les idées reçues».

Vous et le sujet du texte

4. Lisez les deux premiers paragraphes de l'article. Quelles sont les informations :
- qui sont nouvelles pour vous ?
- qui vous intéressent particulièrement ?
- qui vous surprennent ?

L'auteur, le texte et vous

5. Trouvez dans l'article les termes par lesquels l'auteur :
- exprime sa surprise,
- porte un jugement sur la valeur des sondages, en général,
- tire le principal enseignement de ce sondage croisé,
- exprime un regret.

6. Pour quelles raisons pensez-vous que Jacques Portes, professeur d'université, a souhaité écrire cet article dans Le Monde ?

Distinguer

7. Les résultats du sondage.
Imaginez les questions du sondage qui ont permis d'obtenir les résultats de 76 % et 44 %.

8. La reconstitution de l'opinion française du siècle passé.
Du point de vue de l'utilisation des temps verbaux, quel est le passage qui se différencie de l'ensemble du texte ? Pour quelle raison ?

9. Au siècle dernier, l'opinion française, à l'égard des Américains comportait une part de mépris, de chauvinisme et un sentiment d'injustice.
Trouvez-en les traces dans le texte.

10. Le point de vue de J. Portes.
D'après l'auteur, en quoi les résultats du sondage sont-ils absolument contradictoires avec la réalité américaine actuelle ?

11. Il considère que les Américains ont actuellement une littérature «puissante», un cinéma «fascinant» et une musique «envahissante». Le jugement porté sur chaque type de production culturelle est-il de même nature ? Précisez.

RÉSUMER POUR QUI ?

12. LES CONTRAINTES DE L'EXERCICE

1. Réduire le texte, en respectant la longueur imposée.
2. Rester fidèle au sens du texte.
3. Se limiter à son contenu.
4. Respecter la structure du texte : ne pas bouleverser l'ordre des informations.
5. Reformuler le contenu : ne pas reprendre mot pour mot des extraits du texte.

6. Réécrire le texte, sans l'introduire par des verbes du discours tels que : «l'auteur dit que..., pense que...»
7. Ne pas introduire de commentaires personnels.

13. Voici quelques reformulations d'étudiants non-francophones. Pour chacune d'entre elles, demandez-vous :
– si elle reprend ou non des éléments du contenu de l'article (contrainte n° 3),
– si elle est fidèle au sens du texte (contrainte n° 2),
– si son contenu joue un rôle important dans la compréhension du texte,
– si elle peut être améliorée.

a. C'est un paradoxe : l'influence culturelle américaine n'a fait qu'augmenter pendant que la puissance technologique a diminué.

b. Pourtant, aujourd'hui, les États-Unis sont moins compétitifs dans le domaine technologique et plus prolifères dans le domaine culturel.

c. Les Français se fient moins à la culture américaine, qui influence leur vie, qu'à la technologie démodée américaine.

d. Les stéréotypes persistent des deux côtés de l'Atlantique.

e. L'opinion des deux côtés reste inchangée.

f. Les Français restent encore sceptiques sur la culture américaine tandis que les Américains doutent de la technologie française.

14. Sélectionnez et améliorez les reformulations que vous aimeriez reprendre dans votre propre résumé de l'article. Aidez-vous du tableau «Dire autrement» (pp. 75 et 76).

15. Lisez ce résumé, rédigé par un francophone. La longueur imposée était de 80 mots.

Selon un sondage récent, 76 % des Français croient à la technologie américaine mais 44 seulement à la culture américaine. Étonnant : il y a un siècle, les Français pensaient déjà cela : les Américains étaient des as en technologie et des nains culturels. Cinéma, littérature, musique de l'Amérique du xxe siècle sont remarquables. Rien n'a changé, cependant, pour les Français (ni pour les Américains sur les Français : vices, irresponsabilité économique). Double erreur, double vérité ? Une seule chose est sûre : les mentalités ne changent que lentement.

16. Reprenez, point par point, les contraintes de l'exercice et observez dans quelle mesure et de quelle façon elles ont été respectées. Si vous le jugez souhaitable, améliorez ce résumé.

17. L'auteur de ce résumé s'est efforcé de trouver des formulations **plus globales** : recherchez dans l'article l'origine de la phrase suivante :

... il y a un siècle les Français pensaient déjà cela : les Américains étaient des as en technologie et des nains culturels.

18. Il s'est également efforcé de trouver des formulations **plus générales** : recherchez dans l'article les trois mots qui ont déterminé le choix du terme «remarquable», qui est plus général et donc moins précis.

19. Enfin, les formulations sont **plus abstraites** : recherchez dans l'article la phrase qui est à l'origine de «Double erreur, double vérité ?».

20. Observez de quelles façons la ponctuation et la parenthèse assurent la progression et l'enchaînement des idées.

21. En vous appuyant librement sur ce résumé de 80 mots et en vous reportant au contenu de l'article (de 600 mots), rédigez un nouveau résumé de 200 mots. Aidez-vous du tableau «Dire autrement».

ÉVALUER

22. Pour améliorer votre production :
1. Reportez-vous à la liste des contraintes de l'exercice (activité 12).
2. Si vous avez emprunté des extraits au résumé de 80 mots ou aux productions d'étudiants, vérifiez s'ils s'articulent bien avec vos nouvelles reformulations.
3. Vérifiez la correction de la langue, l'orthographe et la ponctuation.

Commenter, c'est préciser

1. Par quels moyens J. Portes a-t-il reconstitué l'opinion française du siècle dernier, à l'égard des Américains ?

2. L'auteur considère-t-il que les sondages donnent généralement de fausses informations ?

3. Au siècle dernier, sur quelles productions culturelles américaines portaient essentiellement les jugements négatifs des Français ?

4. Quelles informations l'article apporte-t-il sur l'image que les Américains ont des Français ?

Commenter, c'est donner son point de vue

... sur la qualité de l'article

5. Après avoir lu cet article, éprouvez-vous plutôt :
– le besoin de demander des précisions à l'auteur ?
– ou de discuter avec des non-spécialistes ?

Quelles conclusions en tirez-vous sur la qualité de l'article ?

... sur le contenu de l'article

6. À votre avis, si J. Portes écrivait un article, sur le même sujet, dans un journal américain, porterait-il le même titre ? Aurait-il le même contenu ? Précisez.

Commenter, c'est comparer des cultures

7. Les résultats de ce sondage vous surprennent-ils ? Pour quelles raisons ?

8. Imaginez un sondage croisé de ce type entre deux pays de votre choix. Selon vous, quels en seraient les résultats ?

Débattre, c'est parfois s'opposer

9. Réagissez à ces affirmations. Exposez et défendez votre point de vue face à un interlocuteur qui s'oppose systématiquement à vous.

a. Les sondages sont toujours inutiles et parfois nuisibles.
b. L'omniprésence de la musique américaine est une catastrophe culturelle.
c. Il est vrai que les innovations technologiques sont essentiellement américaines.
d. On ne peut pas faire confiance aux sondages.
e. Au XXe siècle, la compréhension entre les peuples a fait d'énormes progrès.

AUTREMENT

	idées reçues	préjugés, idées préconçues, idées toute faites, lieux communs, à priori, clichés, stéréotypes
	mentalités	état d'esprit, attitudes, façons de penser
6	curieusement	bizarrement, étrangement
7	dans la mesure où	étant donné que, puisque

6	dénué de toute actualité	anachronique, dépassé
8	la substance	la teneur, le contenu
10	si tant est que	en supposant que
12	faire confiance à	se fier à, s'en remettre à, pouvoir compter sur
16-93	la vision	la perception, le point de vue, la façon de voir
16	pour en rester à	pour s'en tenir à, pour se limiter à
19	n'est plus ce qu'elle était	a décliné, s'est dégradé
29	du temps	de l'époque
30	représenter	signifier, évoquer, symboliser
34	renoncer à	abandonner l'idée de, se résigner à, démissionner face à
35	la suprématie	la supériorité, la domination
38	indus	immérité, injuste, usurpé
38	pléthorique	généreuse, très riche
40	frauduleuse	malhonnête
42	truquée*	artificielle, factice
42	machiné	artificiel
45	enviable	désirable, un modèle à suivre
46	sans doute	certes,...
46	accomplir	réaliser, effectuer, faire
47	prouesse	exploit, performance
48	pour quelles fins	dans quels buts
48	à quoi bon ?*	pour quoi faire ?
50.	prétendre	aspirer à, convoiter, espérer
56	dormir sur ses deux oreilles*	se sentir en sécurité, se rassurer, être tranquille

61	sans âme	froide
61	en dépit de	malgré
68	l'émergence	le développement
68	puissante	forte, vigoureuse, intense
69	fascinant	captivant, passionnant
70	envahissant	encombrant, omniprésent
70	prouver que	mettre en évidence, démontrer
72	la trame	les grandes lignes, le cadre, la matière
74	la réciproque	la vision en retour, symétrique
75	à coups de	constituée de, faite de
76	légèreté	insouciance, manque de sérieux, inconséquence
83	on ne peut nier que	il est vrai que, il faut reconnaître que, il est incontestable que
84	doué	brillant, à l'aise, talentueux
88	exaltant	passionnant, enthousiasmant, attirant
89	dans le même temps	parallèlement, simultanément
92	il est absurde de	inconcevable, impossible
92	se contenter de	se limiter à, se satisfaire de
93	vision globale	vision d'ensemble
93	simplificateur	réducteur, déformant, insuffisant
95	discutable	contestable, sujet à caution
100	un vœu pieux	un désir irréalisable, une illusion

S.O.S.
Une banlieue dans le pétrin

Une boulangerie qui ferme, c'est un quartier qui meurt. Pour sauver celle du Rond-Point, le maire de Draveil a eu recours à la réquisition. Comme en temps de guerre.

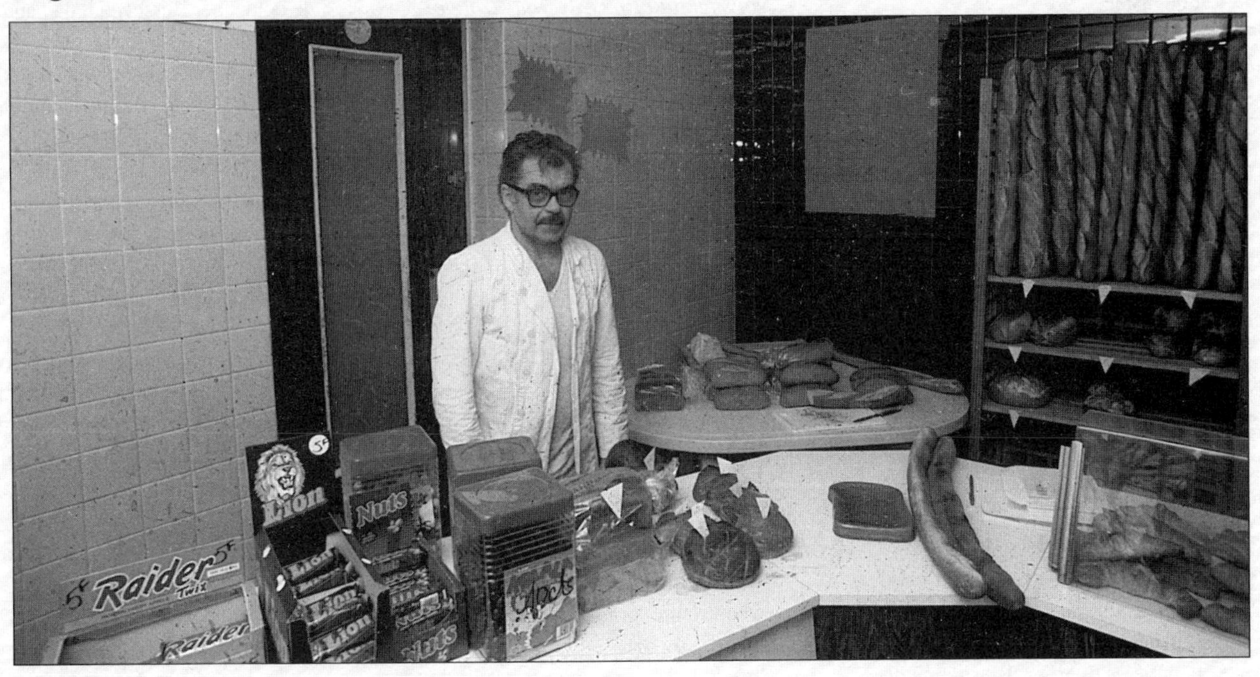

Louis Filoche, le nouveau boulanger du Rond-Point

Jean Tournier-Lasserve, avocat général en retraite et maire de Draveil, vient de conclure l'une des affaires les plus insolites de sa riche carrière : sauver la tête d'une boulangerie, si l'on ose dire. Comment ? En réquisitionnant les murs. La réquisition est un acte dur – il rappelle la guerre – et justement, ici, c'était la guéguerre.

Ça se passe à Draveil, Essonne, 29 000 habitants, à 25 kilomètres de Paris, ou plus exactement au quartier de la Villa, composé de pavillons, habité en grande partie par des retraités argentés, en bordure de Seine, une sorte de village. Il forme un tout homogène. Il dispose d'une zone commerciale presque parfaite, au rond-point des Fêtes : café, épicerie, boucherie-charcuterie, librairie-presse, coiffeur et… boulangerie. Sans oublier un petit marché bihebdomadaire. On y vient à pied. On fait ses achats et on bavarde. On s'attarde. C'est un lieu de convivialité.

Au printemps, une rumeur court le village : le boulanger, M. Busset, et son propriétaire, M. Marcel Lecourbe, ne s'entendent plus. L'un, le boulanger, reproche à l'autre de ne faire aucune réparation. La pluie coule dans l'appartement du premier étage et dans la boutique. L'autre, le propriétaire, reproche au boulanger de ne pas payer ses traites. Zizanie. Jusqu'au jour de juin où la population interloquée apprend que Marcel Lecourbe a obtenu, par décision judiciaire, la résiliation du bail commercial et l'expulsion du boulanger. Exit donc M. Busset et son épouse. Reste la boutique vide et dévastée.

Les vacances passent. À la rentrée, les habitants redécouvrent le rond-point des Fêtes sans boulanger. Donc pas de pain. Sauf à l'épicerie Miranda qui a ouvert un dépôt. Mais c'est du pain industriel. Ici, on ne mange pas de ce pain-là. Sa croûte est vite ramollie, la mie s'effrite et est pleine de trous. Bref, il ne tient pas la journée. Alors, les habitués prennent leur voiture et vont en acheter dans un autre quartier ou à Juvisy, de l'autre côté du pont. Et quitte à faire une course, ils les font toutes en même temps. Les commerçants du Rond-Point voient leurs clients déserter et la moutarde leur monte au nez. Danielle Chauveau, la libraire, avait commencé à se faire une bonne clientèle de quartier. Brusquement, ça dégringole. Au lieu de 120 « Télé 7 Jours » par semaine, elle n'en vend plus que 60. Elle dit : *« Ça ne pouvait plus continuer. »* Et Francine Rouillan, bouchère : *« On allait s'écrouler. »* La boulangerie, c'est comme le café. On est connu, on est reconnu. Quand un village se meurt, c'est la boulangerie et le café qui ferment en dernier. La boulangerie qui ferme, c'est le commencement de la fin. Et le café, c'est la fin de la fin. Comme dit Francine, la bouchère : *« La boulangerie, c'est l'âme du quartier. »* Le Rond-Point est en train de perdre son âme.

Commencent alors la rébellion des commerçants et la mobilisation des habitants. Francine Rouillan en sera le tambour-major. On rameute les populations. On fait circuler des pétitions. On ramasse des centaines de signatures et même plus. On se réunit. Tous les mois, on va voir le maire : *« Défendez-nous ! »* On prend langue aussi avec Marcel Lecourbe, le propriétaire, et son fils. Marcel Lecourbe, 83 ans, est né à Draveil. On l'appelle le « papy ». À chaque rencontre, il se veut rassurant *« Ne vous en faites pas. Je vous trouverai un boulanger, vous verrez. »* On n'a rien vu. Sauf le contraire : le défilé des candidats qui venaient visiter la boutique et qui en ressortaient en haussant les épaules. Trop cher. Selon eux, le papy exigeait 200 000 francs pour le droit au bail, plus 6 250 francs par mois pour le loyer. Tout cela pour un appartement et une boutique en piètre état. Il faudrait au moins investir un million pour tout remettre en route. Le papy ne trouve personne.

Pendant ce temps, le maire poursuit ses consultations. Il téléphone souvent au papy jusqu'au jour où, excédé, il prend sa décision. À situation exceptionnelle, procédure exceptionnelle. Le 17 décembre, il publie son arrêté de réquisition. Article 1 : M. Lecourbe est requis de mettre à la disposition de la mairie les locaux commerciaux à usage de boulangerie. Article 2 : ces locaux seront affectés par M. le Maire en vue de la réouverture d'une boulangerie. Le chef de cabinet du maire explique : *« On s'est appuyés sur l'article L 13/2 du Code des communes concernant le pouvoir de police des maires et sur quelques textes épars, dans le Code communal, concernant les boulangeries. »* La population exulte. Les voisins nettoient les locaux et sortent une benne d'ordures. Et fin décembre, dans l'allégresse, on installe le nouveau boulanger. Il s'appelle Louis Filoche, 46 ans. Il tient déjà une bonne boulangerie à Draveil, dans le quartier des Mazières. Comme le four du Rond-Point est inutilisable, il cuit tout à Mazières et chaque jour une camionnette transporte le pain frais, les gâteaux, etc. La clientèle revient. La nouvelle vendeuse s'appelle Cathy. Elle débite déjà 200 baguettes par jour. Mais la situation reste provisoire.

Le papy ronge son frein. D'une voix chevrotante et navrée, il dit que le boulanger Busset était un peu fêlé du ciboulot, qu'il lui devait des sous et qu'il a tout cassé avant de partir. Le maire l'a déçu. Il ne le connaissait pas sous ce jour-là. Il dit que c'est dur de trouver un repreneur. Pour l'instant, il a trouvé une société, Panichaud, qui vendrait du pain frais et chaud, sept jours sur sept. Il dit : *« Je trouverai un boulanger, vous verrez. »*

On verra. Toutes proportions gardées, cette histoire montre qu'il existe, à 25 kilomètres de Paris, des gens qui ne sont pas encore séduits par le modèle américain de consommation – bagnoles, supermarchés, surgelés, pain industriel, etc. Quand on touche à l'équilibre de leur quartier, aux commerces de proximité, c'est une certaine qualité de la vie qu'on leur abîme. On espère que les urbanistes qui préparent l'Ile-de-France de l'an 2000 l'ont compris. Comme dit Emile Biasini, en charge des Grands Travaux, certains tirent des plans du haut de leur hélicoptère, mais les vrais urbanistes sont ceux qui marchent à pied.

YVON LE VAILLANT

Le Nouvel Observateur, 10/16 janvier 1991

POUR RÉSUMER

Le texte et vous

1. Relevez, dans les titres, des termes qui évoquent :
- un grand danger,
- une situation embarrassante,
- une procédure exceptionnelle.

2. «***Une boulangerie qui ferme, c'est un quartier qui meurt.***»
À votre avis, c'est :
- l'opinion personnelle du journaliste ?
- une information inédite, révélée par le Nouvel Observateur du 10-16 janvier 1991 ?
- une opinion largement partagée, presque un dicton populaire ?

3. Que vous indiquent la photo et sa légende sur le dénouement de l'histoire ?

4. Pour situer le cadre géographique de l'histoire, complétez la phrase suivante :
... se trouve dans un quartier de la petite ville de..., située dans la ... parisienne.

Vous et le sujet du texte

5. Avant d'avoir lu l'article, vous connaissez l'histoire. Résumez-la en quatre phrases courtes, construites autour des verbes suivants : fermer, mourir, réquisitionner, réouvrir.

6. Selon vous, ce sujet mérite-t-il une page entière d'un hebdomadaire d'informations générales tel que Le Nouvel Observateur ? Pour quelles raisons ? Dans quelle rubrique le placeriez-vous ?

L'auteur, le texte et vous

7. Lisez rapidement l'article pour trouver dans quel paragraphe le journaliste révèle les raisons qui l'ont poussé à l'écrire. Quelles sont ces raisons ?

8. Dans le paragraphe que vous avez identifié, par quels termes le journaliste donne-t-il à son article une dimension polémique ? Précisez-en le contenu.

9. Imaginez d'autres titres possibles pour cet article.

Distinguer...

10. La chronologie des événements.
Recherchez, dans le texte, les indicateurs de temps qui vous permettent de :
- situer l'histoire par rapport à la date de publication de l'article,
- déterminer la durée de l'histoire,
- de comprendre l'enchaînement des événements.

11. Remarquez les quelques verbes qui ne sont pas conjugués au présent de l'indicatif et dites pourquoi.

12. Vous arrive-t-il de raconter une histoire au présent ? Dans quelles situations ?

13. Les protagonistes de l'action.
Identifiez les personnes ou les groupes jouant un rôle important dans les moments forts de l'histoire.

14. Chaque fois que vous rencontrez le pronom sujet «on», précisez la (les) personne(s) ou groupe(s) qu'il désigne.

RÉSUMER

POUR QUI ?

15. LES CONTRAINTES DE L'EXERCICE

1. Réduire le texte, en respectant la longueur imposée.
2. Rester fidèle au sens du texte.
3. Se limiter à son contenu.
4. Respecter la structure du texte : ne pas bouleverser l'ordre général des informations.
5. Reformuler le contenu : ne pas reprendre mot pour mot des extraits du texte.
6. Réécrire le texte sans l'introduire par des verbes du discours tels que : «l'auteur dit que..., pense que...».
7. Ne pas introduire de commentaires personnels.

16. Cet article de 1200 mots a été résumé par deux personnes différentes. La longueur demandée était de 300 mots. L'un en contient 258, l'autre 300.
À l'exception du dernier paragraphe de chaque résumé, les deux productions ont été mêlées et présentées dans le désordre.
Reconstituez les deux textes. Pour vérifier votre compréhension, aidez-vous du tableau «Dire autrement» (pp. 82 et 83).

DERNIER PARAGRAPHE DU RÉSUMÉ A :

Au fond, le vrai problème est la mise en question «d'une certaine qualité de vie». Les habitants de la Villa ont montré que même si l'on est au seuil de l'an 2000, il y a encore des gens qui n'aiment point la société de consommation à l'américaine et qui sont prêts à s'engager pour préserver une ville à mesure humaine.

DERNIER PARAGRAPHE B :

L'affaire n'est pas close, mais elle montre que, tout près de Paris, des gens préfèrent encore la qualité de la vie au modèle américain de consommation industrielle. Les commerces de proximité sont justement le sel de l'existence ; les supprimer, c'est abîmer la vie. Espérons que les bâtisseurs de l'an 2000, dans leurs bureaux, le comprennent. Qu'ils regardent la ville, non du haut de leurs hélicoptères, mais à pied, en s'y promenant.

RÉSUMÉS A ET B MÉLANGÉS : (à l'exception du dernier paragraphe)

1. La Villa : paisible quartier de Draveil, 25 km de Paris. Ses habitants sont des retraités qui vivent dans des pavillons, le long de la Seine.

2. Ils réagissent, se regroupent pour protester et obtenir la réouverture de la boulangerie. Le propriétaire les rassure mais ne fait rien malgré une pétition de plusieurs centaines de signatures. A la boulangerie comme au café, on est connu, reconnu,. Quand ils ferment, c'est que le village se meurt.

3. Les mois passent et rien n'arrive. «Papy» tergiverse et dit que c'est difficile de trouver un repreneur. Le maire, Mr. Jean Tournier-Lasserve, tranche net : il réquisitionne les murs de la boulangerie et il y installe provisoirement un nouveau boulanger, Mr Louis Filoche. La clientèle revient au Rond-Point.

4. Ou plutôt c'était. Depuis qu'une brouille entre Mr. Busset et le propriétaire, Mr Marcel Lecourbe, dit «Papy», a abouti à l'expulsion du boulanger à la suite de la résiliation du bail commercial.

5. Plus de pain, donc, sauf du pain industriel qu'ici on n'aime pas. On va faire ses courses ailleurs. Les commerçants du quartier voient leur clientèle disparaître.

6. Le maire de Draveil prend les choses en main, tente de convaincre le propriétaire. En vain ; celui-ci demande trop cher pour louer la boulangerie. Alors, excédé, il décrète la réquisition de la boulangerie, comme c'est son droit de maire. La population remet elle-même la boutique en état, elle en avait bien besoin. Un boulanger revient donc, dans l'allégresse générale. On se presse de nouveau pour acheter du bon et vrai pain, bien que ce soit du pain fait ailleurs qu'à Draveil et livré chaque jour par camionnette.

7. Leur lieu de rencontre est au Rond-Point des Fêtes, un petit centre commercial. Là, on bavarde et on fait ses achats. La boulangerie de Mr. Busset est «l'âme du quartier».

8. Ça se passe à Draveil, 30 000 habitants, 25 km, de Paris, dans un quartier pavillonnaire, comme un village, peuplé de retraités argentés, avec une zone commerciale où l'on vient acheter et bavarder.

9. N'aimant pas le pain industriel, les villageois sont allés faire leurs courses ailleurs.

10. Un beau jour, le propriétaire de la boulangerie et son boulanger se brouillent. Le boulanger part.

11. Cette exode a presque ruiné les autres commerçants du Rond-Point qui ont entrepris une série de démarches (sensibilisation des habitants, pétitions, visites au maire, pourparlers avec «Papy») pour revenir au statut-quo.

17. Faites une comparaison systématique des deux résumés reconstitués, (voir corrigés pages 95 et 96), en reprenant point par point les contraintes de l'exercice (activité 15).

18. Comparez l'utilisation des temps. Quel choix ferez-vous pour rédiger votre propre résumé (activité 21) ?

19. Identifiez avec précision :
– les différences dans la sélection des informations : quelles conséquences ont-elles sur la longueur du résumé et sur la fidélité au sens de l'article ?
– les différences de reformulation d'une même information : quelles conséquences ont-elles sur la longueur du résumé et sur la fidélité au sens de l'article ? Aidez-vous du tableau «Dire autrement» (pp. 82 et 83).

20. Dans chaque résumé, observez si (et de quelle façon) l'enchaînement des phrases et des paragraphes restitue les relations existant entre les différentes idées du texte de départ.

21. Comparez les indications que donne chaque résumé sur :
– les dates et la durée de l'histoire,
– le nom des personnes et les lieux.
Quelles sont les conséquences des différences que vous constatez sur la longueur du résumé et sur la fidélité au sens de l'article ?

22. En utilisant librement ces deux résumés et en vous reportant systématiquement au contenu de l'article, rédigez un nouveau résumé de 150 mots.

ÉVALUER

23. Pour améliorer votre production, reprenez point par point les contraintes de l'exercice (activité 15).

24. Adaptez à votre résumé les activités 18 à 21.

25. Vérifiez notamment si la nouvelle sélection que vous avez opérée, pour réduire, respecte globalement le sens de l'article (contrainte 2).

26. Si vous avez conservé des extraits des deux résumés précédents, vérifiez s'ils s'articulent bien avec vos nouvelles reformulations.

27. Contrôlez la correction grammaticale, l'orthographe et la ponctuation.

COMMENTER

Commenter, c'est préciser

1. Pourquoi, au moment de la parution de l'article, la situation restait-elle provisoire ?

2. Cet article contient de nombreux mots et expressions appartenant au registre familier. Lesquels souhaitez-vous retenir ? Pour quel usage ?

3. Quelle est la différence entre une zone commerciale et un centre commercial ?

Commenter, c'est donner son point de vue ... sur la qualité de l'article

4. Afin d'attirer le lecteur, le journaliste a dramatisé l'anecdote. Par quels moyens ? Que pensez-vous de ce choix ?

5. A-t-il également fait preuve d'un certain humour ? Quelles en sont les traces ? Selon vous, l'humour participe-t-il à la qualité de l'article ?

... sur le contenu de l'article

6. En quoi le contenu de cet article confirme-t-il l'image que vous avez de la France actuelle ?

7. Que savez-vous des Grands Travaux auxquels le journaliste fait allusion, à la fin de l'article ?

Commenter, c'est comparer des cultures

8. Dans d'autres pays que vous connaissez bien, la boulangerie et le café jouent-ils le même rôle qu'en France ? Précisez.

9. Selon vous, dans votre pays, quel type d'événement local entraînerait-il une mobilisation comparable ?

Débattre, c'est parfois s'opposer

10. Réagissez aux affirmations suivantes. Exposez et défendez votre point de vue face à un interlocuteur qui s'oppose systématiquement à vous.

a. Dans un quartier, le café est beaucoup plus important que la boulangerie.
b. En France, les marchés traditionnels sont appelés à disparaître.
c. «La boulangerie, c'est l'âme du quartier».
d. La vie moderne a créé de nouveaux lieux de convivialité, qui sont bien supérieurs aux anciens.
e. Cette histoire n'aurait jamais pu se passer dans une grande ville.

DIRE AUTREMENT

	dans le pétrin*	en difficulté
	avoir recours à	utiliser, faire valoir son droit à
4	conclure une affaire	clore, mener à bien
5	insolite	bizarre, étrange, étonnant
7	sauver la tête*	sauvegarder l'existence
8	si l'on ose dire	si l'on peut dire
10	un acte dur	grave, sévère
11	rappeler	évoquer
12	la guéguerre*	la petite guerre
15	plus exactement	plus précisément
17	composé de pavillons	pavillonnaire
17	en grande partie	essentiellement, majoritairement
18	argenté*	aisé
18	en bordure de	sur les rives de, au bord de
21	une sorte de	comme, un genre de
20	un tout homogène	une unité
20	disposer	posséder
21	une zone commerciale	un ensemble de rues commerçantes
25	sans oublier	et même
28	s'attarder	ne pas se presser, flâner
29	lieu de convivialité	lieu de rencontre
30	une rumeur court	un bruit se répand
33	ne plus s'entendre	être en conflit, se brouiller
39	les traites	le loyer
40	zizanie*	désordre, effervescence, agitation
41	interloqué	stupéfait, sidéré
45	exit Mr...*	Mr. Busset part, disparaît
47	dévasté	saccagé, endommagé
49	redécouvrir	retrouver
53	un dépôt	un point de vente
54	on ne mange pas de ce pain-là*	on n'accepte pas ça, on n'aime pas ça
57	il ne tient pas	il ne se conserve pas
58	les habitués	les clients fidèles
61	quitte à	puisqu'il faut
64	déserter	disparaître, aller ailleurs
64	la moutarde leur monte au nez*	ils se mettent en colère
67	se faire une clientèle	avoir de plus en plus de clients réguliers fidèles
68	brusquement	soudain, tout d'un coup

69	ça dégringole*	ça baisse
74	s'écrouler*	se ruiner, faire faillite
85	rébellion	mouvement de protestation, révolte
86	mobilisation	réaction collective
88	être le tambour-major	entraîner le mouvement, prendre la tête, orchestrer
88	rameuter*	alerter, mobiliser, rassembler
90	ramasser*	obtenir, rassembler, collecter
93	prendre langue	prendre contact, rencontrer, entamer des pourparlers
98	il se veut rassurant	il essaie de rassurer
99	ne vous en faites pas*	ne vous inquiétez pas
100	vous verrez	croyez-moi, je vous le promets
102	le défilé	la série, la succession
109	en piètre état	ravagé
111	remettre en route	redémarrer
113	poursuivre	continuer
116	excéder	exaspérer, lassé
116	à situation exceptionnelle	face à une situation...
124	affecter	attribuer
140	s'appuyer sur	utiliser, avoir recours à
127	épars	disséminé
132	concernant	à propos de, touchant à

133	exulter	triompher, pavoiser
136	allégresse	bonheur, joie
138	tenir un commerce	avoir pignon sur rue, tenir boutique
142	inutilisable	hors d'usage
147	débiter	vendre
148	provisoire	passagère, fragile
149	ronger son frein	être sur les nerfs, ne pas tenir en place
150	voix chevrotante	tremblante, cassée
150	navré	désolé, abattu, repentant
151	être fêlé du ciboulot*	perdre la tête, être un peu fou
152	devoir des sous*	avoir des dettes
156	dur*	difficile
157	pour l'instant	pour le moment
162	on verra	à suivre...
162	toutes proportions gardées	à son échelle
163	cette histoire montre	la morale de cette histoire est
165	séduit	attiré, convaincu, adepte
167	bagnole*	voiture
169	toucher à*	attaquer, mettre en péril, affecter
172	abîmer	détériorer, atteindre

INITIATIVES

Des autobiographies « clé en main »

«Racontez-moi votre vie, j'en ferai un livre», tel est le principe mis en œuvre depuis 1982 par Simone Wallich, créatrice de la société d'édition J'étais une fois. «

,

explique-t-elle,

.» Pour exorciser la fuite du temps et transmettre à ses proches l'histoire familiale, «J'étais une fois» s'est spécialisée dans la rédaction d'autobiographies privées, illustrées ou non de photos.

Moyennant un forfait de 50 000 F hors taxes pour trente exemplaires d'un ouvrage de deux cents pages – non commercialisé mais qui a toutes les apparences d'un « vrai » livre (titre, format, couverture et maquette originaux) – l'écrivain-éditrice recueille au magnétophone quatre heures trente minutes d'interviews semi-directifs. Couleurs, odeurs, détails sur l'enfance et l'adolescence, les « auteurs » sont peu à peu conduits, au fil des entretiens, à reconstituer la trame de leur vie, qu'il reviendra ensuite à Simone Wallich de mettre en forme. D'où un très délicat travail d'écriture pour que ces récits – «

» – conservent le style propre à chacun tout en étant agréables à lire. «

», commente Simone Wallich. «

.»

«

», se souvient Anne-Marie Tixier, chef d'une entreprise du bâtiment et première cliente des éditions J'étais une fois. «

». Échaudée par cette expérience initiale, elle a dû entièrement réécrire le livre, mais estime que ça lui a appris son métier. Simone Wallich prend depuis la précaution de présenter les dix premières pages à ses auteurs avant de continuer.

«

» demandaient à la marquise de Quintonas ses petits-enfants. C'est ce qui l'a décidée à rédiger ses souvenirs, par plume interposée. «

, confie-t-elle,

.»

Témoin d'une époque révolue, c'est un morceau d'histoire de France – la guerre de 1940 dans son château, du côté de Lyon notamment – et le tableau d'une certaine société aujourd'hui disparue qu'elle a eu envie de fixer dans ses Mémoires. «

.»

« Un livre, c'est magique »

Si toutes les vies ne sont pas forcément aussi romanesques que celle de la marquise, il est un message qui court en filigrane dans la plupart des récits que les mémorialistes souhaitent laisser à leur entourage, et qui est un message d'espoir : on a eu beaucoup de problèmes et on a quand même réussi, voici comment. Ou la vie mode d'emploi. «

», affirme ainsi Anne-Marie Tixier. «

.»

À l'instar de plusieurs autres auteurs du «fonds Wallich», Anne-Marie Tixier réfléchit aujourd'hui à un deuxième tome.

CAROLINE HELFTER

J'étais une fois. 83, boulevard Saint-Michel, 75005 Paris. Tél. : 43 26 21 50

Le Monde, 22 mars 1991

POUR RÉSUMER

Le texte et vous

1. Lisez uniquement la première version de l'article. (p. 84). Quelle est la différence entre une biographie et une autobiographie ?

2. L'expression «clé en main» évoque le domaine économique et commercial. Lisez ces deux exemples :

a. *Aide au développement : faut-il continuer à livrer des usines clé en main ?*
b. *Votre Renault Clio pour 60 000 F, clé en main.*

Dans quel contexte (a ou b), «clé en main» signifie-t-il plutôt :
1. que l'acheteur peut obtenir le produit sans avoir nécessairement la capacité de le créer ?
2. que l'acheteur ne paiera pas un franc de plus que le prix annoncé ?

3. À la lumière de ces exemples, montrez comment le début de l'article en justifie le titre.

Vous et le sujet du texte

4. Dans quel but l'adresse de la société d'édition est-elle indiquée au bas de l'article ?

5. Cette initiative vous semble-t-elle intéressante ? Pour quelles raisons ?

L'auteur, le texte et vous

6. Pour préparer son article, qui la journaliste a-t-elle interrogé ?

7. La journaliste porte-t-elle un jugement de valeur sur l'initiative de Simone Wallich ? Quelle est la fonction principale de cet article ?

Distinguer

8. Ce que dit la journaliste.
Avant de lire la version intégrale de l'article (p. 86) , répondez aux questions suivantes :

1. Quel service la société «J'étais une fois» propose-t-elle ? À qui ? Depuis combien de temps ?
2. À quel besoin estime-t-elle répondre ?
3. Quelles sont les caractéristiques du produit vendu par la société ? À qui est-il vendu ? Quel en est le prix ?
4. Quelle est la méthode de travail de S. Wallich ?
5. À quel moment et de quelle façon a-t-elle modifié sa méthode de travail ?
6. Quelles étaient les motivations de la deuxième cliente citée ?
7. La plupart des autobiographies ont un point commun, lequel ?
8. Peut-on parler de succès de la société «J'étais une fois» ? Comment se manifeste-t-il ?

9. Ce que cite la journaliste.
Lisez la version intégrale de l'article. Les citations apportent-elles de nouvelles informations ? Lesquelles ?

10. LES CONTRAINTES DE L'EXERCICE

1. Réduire le texte en respectant la longueur imposée.
2. Rester fidèle au sens du texte.
3. Se limiter à son contenu.
4. Respecter la structure du texte : ne pas bouleverser l'ordre général des informations.
5. Reformuler le contenu : ne pas reprendre mot pour mot des extraits du texte.
6. Réécrire le texte, sans l'introduire par des verbes du discours tels que : «l'auteur dit que..., pense que...».
7. Ne pas introduire de commentaires personnels.

11. Résumez cet article de 800 mots en 150 mots. Appuyez-vous sur l'activité 8 et reprenez point par point les contraintes de l'exercice.
Aidez-vous également du tableau «Dire autrement». (p. 88)

12. Afin de rédiger un texte dynamique et cohérent observez dans l'article quelques moyens de faire progresser le texte tout en formulant clairement les reprises et les enchaînements :

– Reprise de paroles et de faits :
ligne 2 : ..., tel est le principe...
ligne 61 : ... cette expérience initiale...
ligne 71 : C'est ce qui l'a décidée à...

– Enchaînement chronologique :
ligne 65 : S.W. prend depuis la précaution...

INITIATIVES

Des autobiographies « clé en main »

« Racontez-moi votre vie, j'en ferai un livre », tel est le principe mis en œuvre depuis 1982 par Simone Wallich, créatrice de la société d'édition «J'étais une fois». *« À une époque qui est soi-disant celle de la communication,* explique-t-elle, *on se voit trop rapidement, on se parle de moins en moins et on ne s'écrit plus. »* Pour exorciser la fuite du temps et transmettre à ses proches l'histoire familiale, «J'étais une fois» s'est spécialisée dans la rédaction d'autobiographies privées, illustrées ou non de photos.

Moyennant un forfait de 50 000 F hors taxes pour trente exemplaires d'un ouvrage de deux cents pages – non commercialisé mais qui a toutes les apparences d'un « vrai » livre (titre, format, couverture et maquette originaux) – l'écrivain-éditrice recueille au magnétophone quatre heures trente minutes d'interviews semi-directifs. Couleurs, odeurs, détails sur l'enfance et l'adolescence, les « auteurs » sont peu à peu conduits, au fil des entretiens, à reconstituer la trame de leur vie, qu'il reviendra ensuite à Simone Wallich de mettre en forme. D'où un très délicat travail d'écriture pour que ces récits – *« sans prétention littéraire ni valeur autre qu'affective »* – conservent le style propre à chacun tout en étant agréables à lire. *« Certains ont le sens des images, d'autres font des dialogues succulents, mais d'autres encore seront incapables de décrire leur mère,. par exemple,* commente Simone Wallich. *À moi de jouer avec tout cela, sans chercher à enjoliver, mais en remaniant quand même suffisamment la langue pour transcrire, sans les trahir, ces lignes de vie qui sont destinées à être lues et non entendues. »*

« C'était trop bien écrit, trop beau, trop académique, se souvient Anne-Marie Tixier, chef d'une entreprise du bâtiment et première cliente des éditions «J'étais une fois». *Moi, j'ai un langage très direct, assez cru, et Simone Wallich m'avait blanchie, aseptisée : je ne me reconnaissais absolument pas dans l'ouvrage dont elle m'avait soumis le « bon à tirer ».* Échaudée par cette expérience initiale, elle a dû entièrement réécrire le livre, mais estime que ça lui a appris son métier. Simone Wallich prend depuis la précaution de présenter les dix premières pages à ses auteurs avant de continuer .

« Bonne maman, racontez-nous les choses d'autrefois » demandaient à la marquise de Quintonas ses petits-enfants. C'est ce qui l'a décidée à rédiger ses souvenirs, par plume interposée. *« Toute seule, je n'aurais pas trouvé le courage d'aller jusqu'au bout,* confie-t-elle. *et mon expérience aurait été perdue à jamais. »* Témoin d'une époque révolue, c'est un morceau d'histoire de France – la guerre de 1940 dans son château, du côté de Lyon notamment – et le tableau d'une certaine société aujourd'hui disparue qu'elle a eu envie de fixer dans ses Mémoires. *« J'ai aussi beaucoup voyagé,* poursuit-elle, *mais d'autres que moi écriront sur les pays, alors que, sur ma famille je suis seule à pouvoir le faire. »*

« Un livre, c'est magique »

Si toutes les vies ne sont pas forcément aussi romanesques que celle de la marquise, il est un message qui court en filigrane dans la plupart des récits que les mémorialistes souhaitent laisser à leur entourage, et qui est un message d'espoir : on a eu beaucoup de problèmes et on a quand même réussi, voici comment. Ou la vie mode d'emploi. *« Tout n'arrive pas tout rôti dans l'existence, il est bon que les enfants le sachent,* affirme ainsi Anne-Marie Tixier. *Vis-à-vis d'eux, c'était le sens de ma démarche. Mais, pour moi, cet ouvrage est surtout une espèce de revanche : mon père, très pauvre, a commencé à travailler à neuf ans ; je n'ai pas, non plus, fait d'études et suis complexée de n'avoir pas de diplômes. Un livre, c'est magique, et j'avais toujours eu envie d'écrire sans en avoir ni le temps ni la capacité. Je me suis fait ce plaisir comme d'autres s'offrent un voyage ou un vison. »* À l'instar de plusieurs autres auteurs du « fonds Wallich », Anne-Marie Tixier réfléchit aujourd'hui à un deuxième tome.

CAROLINE HELFTER

▶ J'étais une fois. 83, boulevard Saint-Michel, 75005 Paris. Tél. : 43-26-21-50.

Le Monde, 22 mars 1991

ÉVALUER

13. Pour améliorer votre production, reprenez point par point les contraintes de l'exercice et reportez-vous aux activités 7, 8, 9 et 12.

14. Entraînez-vous à noter votre résumé, en utilisant le barème suivant :

COMPRÉHENSION DU TEXTE		
– compréhension de sa fonction essentielle	4 pts	
– présence des informations essentielles	5 pts	
– compréhension des relations entre idées	5 pts	/14
QUALITÉ DU RÉSUMÉ EN TANT QUE TEXTE		
– respect de l'ordre général du texte	2 pts	
– degré et qualité de la reformulation	4 pts	
– cohérence et dynamique du résumé	3 pts	
– degré de généralité et niveau de langue adaptés à la fonction informative du texte et du résumé	3 pts	
– respect de la longueur demandée	2 pts	/14
CORRECTION DE LA LANGUE		
– grammaire (morphologie et syntaxe)	4 pts	
– lexique (choix et variété)	6 pts	
– orthographe et ponctuation	2 pts	/12
	Total	/40

15. Si vous le jugez nécessaire, améliorez ce barème.

16. Lisez cette production d'étudiant. Bien que ce texte résume en partie l'article, il ne s'agit pas d'un résumé-exercice. De quel type de texte s'agit-il ? Imaginez-le dans un journal ou un magazine : dans quelle rubrique le placeriez-vous ?

Avez-vous 50 000 F de trop ? Pas de problème. Simone Wallich, propriétaire de la société d'édition «J'étais une fois», vous aidera à vous en défaire. Comment ? Tout simplement en écrivant vos mémoires.

Après avoir enregistré quatre heures trente minutes d'interview et après avoir drôlement bûché, elle, nouveau docteur Frankenstein, donnera le jour à votre autobiographie. Deux cents pages «sans prétention littéraire ni valeur autre qu'affective», censées fixer pour la postérité, la vôtre, votre vie et, en même temps, donner un message, une morale. Et en plus, on vous remet trente copies ! Ah ! quel bonheur à Noël, après avoir ouvert les cadeaux de s'affaler dans un fauteuil, près de la cheminée et de lire «À l'ombre de la jeune marquise en fleur ; du côté de chez Quintonas» ou encore «Tout n'arrive pas tout rôti dans l'existence : les mots pour le dire» ! Qui sait ? Si vous êtes sage, le jour de votre anniversaire, le facteur vous livrera le deuxième tome…

COMMENTER

Commenter, c'est préciser

1. À quel milieu social appartiennent les deux clientes citées ? Qu'ont-elles de commun ?

2. Transmettre son expérience à ses enfants n'est pas la seule motivation de la première cliente. Quelle est l'autre ? Est-elle de même nature ?

Commenter, c'est donner son point de vue

… sur la qualité de l'article

3. Pensez-vous que de nombreux lecteurs du Monde auront lu cet article ? Pourquoi ?

4. Les témoignages sélectionnés par la journaliste apportent-ils des informations pertinentes sur la nature de cette initiative originale ?

… sur le contenu de l'article

5. À votre avis, la directrice de «J'étais une fois» aura-t-elle été satisfaite de cet article ? Pour quelles raisons ?

6. Qu'est-ce qui vous semble le plus original dans cette initiative ?

7. Êtes-vous surpris de voir cet article publié dans Le Monde ? Pour quelles raisons ?

Commenter, c'est comparer des cultures

8. Connaissez-vous des initiatives comparables à celle-ci ? Parlez-en.

9. Dans votre pays, une telle initiative pourrait-elle avoir du succès ? Pourquoi ?

Débattre, c'est parfois s'opposer

Réagissez aux affirmations suivantes. Exposez et défendez votre point de vue face à un interlocuteur qui s'oppose systématiquement à vous.

1. Seules les femmes se laisseront tentées par cette initiative.
2. Il n'y a pas de différence entre ces autobiographies et certains livres à succès.
3. Les enfants ne tirent jamais profit de l'expérience de leurs parents.
4. C'est une excellente idée. Dommage que ce soit si cher.
5. Il est bien triste que tout puisse s'acheter.

2	le principe	la formule, la méthode
3	mettre en œuvre	mettre en pratique, utiliser
4	le créateur	le fondateur
6	soi-disant*	qui se veut, prétendument
11	exorciser	conjurer, combattre
12	transmettre	léguer, laisser
15	privé	de particuliers, de gens ordinaires
17	moyennant	en échange de, pour le prix de
20	commercialisé	vendu dans le commerce
24	recueillir au magnétophone	enregistrer
29	être conduit à	être amené à, en arriver à
29	au fil de	au fur et à mesure, au cours de
30	reconstituer	reconstruire
30	la trame	le déroulement
31	il revient à X de	c'est à X de, X a la charge de
32	mettre en forme	rédiger, reformuler
32	d'où	cela entraîne, il en découle
33	délicat	difficile, périlleux
40	succulent	excellent, plein d'esprit
44	enjoliver	améliorer, transformer
45	remanier	modifier, réorganiser
51	académique	formel, recherché
56	cru	osé, direct
57	blanchir	aseptiser, dénaturer
60	soumettre	proposer
60	échauder*	surprendre, décevoir, désenchanter
63	estimer	considérer, juger
78	révolu	disparu
81	notamment	particulièrement
90	romanesque	mouvementé, hors du commun
92	courir en filigrane	être implicite, traverser
95	l'entourage	les proches
100	tout rôti*	obtenu sans effort
100	il est bon que	il faut que
102	vis-à-vis de	à l'égard de, par rapport à
106	revanche	règlement de compte, compensation
115	à l'instar de	comme, de même que

important. Le pays doit absolument *reconstruire le chemin de fer et la route vers l'océan* », observe Carlos Holguín Sardi, le gouverneur du département du Valle. Sage considération, qui ne suscite guère de réactions du côté de Bogota. « *C'est la pire crise de notre histoire,* affirme le directeur du port. *Personne n'a prévu les conséquences de la politique d'ouverture. Le volume du commerce extérieur est en hausse de 35 % pour le premier trimestre de cette année. Nous étions accoutumés à une hausse moyenne de 10 % par an.* » « *Ce port est une des sept plaies d'Egypte* », grogne un camionneur qui attend depuis cinq jours pour décharger ses vingt tonnes de sucre. Paradoxe : des parlementaires de la côte atlantique, traditionnellement influents dans la capitale, réclament davantage de [illegible] sur ce que les habitants appellent le « continent », au-delà du pont del Piñal (de l'ananas), le seul en fait, étroit et encombré, qui unisse « l'île » au « continent ».

« L'île », trois kilomètres de long sur un kilomètre et demi de large, plate, avec une seule colline pentue, la *loma*, qui domine les quais du port, à la partie noble de Buenaventura. Quelques vraies rues, asphaltées depuis peu, la capitainerie et les douanes, des banques, et la Maison du café, fière de ses douze étages. Quelques bars à filles aussi au bas de la colline à la Pilota. Ce qui reste de l'ancien secteur « chaud », le maire précédent, Gerardo Tovar, ayant décidé d'expulser les bordels clandestins mais tolérés vers le « continent », au kilomètre 7.

Le « continent » ? Un bien grand mot pour une terre étroite, imbriquée dans la baie, également noyée d'embruns et encerclée régulièrement par ces vastes plages de vase que laisse la marée. Des grèves immenses et noires où les femmes des pêcheurs, jupes retroussées, marchent à la rencontre de leurs hommes et des barques échouées, chargées d'écailles brillantes comme l'argent. Vue du ciel et à marée basse, Buenaventura ressemble à une cité qui aurait été submergée par une coulée de boue. « *La première fois,* dit un pilote d'hélicoptère, *j'ai cru retrouver Armero* », enseveli en 1985 par l'éruption du Nevado del Ruiz.

A la pointe de l'île, las Mercedes, la zone élégante, n'a pas 200 mètres de long et bute sur le débarcadère. [illegible] avec ses [illegible] coloniales et ses ventilateurs [illegible] géantes, a le charme [illegible] années 30 [illegible] rée, d'une vingtaine de kilomètres de long. De ses patios on aperçoit les chaloupes qui traversent la rade vers les rives verdoyantes et touffues de la Bocana, les cargos pansus et rouillés, très hauts sur l'eau, qui attendent une place le long des quais d'un port submergé par un trafic en hausse depuis « l'ouverture économique » décidée en 1990 par le gouvernement.

Buenaventura, ville oubliée depuis des lustres par le pouvoir central, Port de l'Eldorado et du

LES CORRIGÉS

GUY DE MAUPASSANT, DÉJÀ...

3. Il s'agit des différents moyens de lutter contre la stérilité d'un couple.

4. Les victoires de la médecine contre la stérilité.

5. Dans la rubrique littéraire.

6. Apporter une note d'humour à un sujet grave.

10. Pour démontrer et illustrer son affirmation de la ligne 15 : En fait, les sociétés se sont toujours montrées beaucoup plus arrangeantes.
Pour justifier le titre humoristique qu'il donne à la nouvelle de Maupassant.

11. Aujourd'hui, en d'autres temps, en fait, en témoigne.

TCHERNOBYL SUR LES PLANCHES

2. *Comique* : bouffon. *Message* : ligne 5, dénonce les dangers de l'irresponsabilité ; intertitre, nous sommes tous responsables. *Retard* : ligne 2, enfin.

5. § 1: Les pouvoirs du théâtre.
§ 2 : Le journaliste dramaturge.
§ 3 : Les mésaventures de l'adaptation française.
§ 4 : Un auteur tragi-comique.
§ 5 : Perpétuel, le bouffon.
§ 6 : Réalité de la fiction.
§ 7 : Pas d'agressivité.
§ 8 : Le nucléaire sûr.

6. Enfin.

8. – au responsable de l'Institut de la sécurité radioactive.
– aux responsables politiques des pays possédant l'arme nucléaire.

COMMENTER

C3.
1200 hémophiles ont été contaminés par le virus du Sida au cours des transfusions sanguines nécessaires à leur survie. Un premier procès a eu lieu en juin 1992. Ce scandale est encore d'une grande actualité politique et sociale en 1993.

C5. D'après l'article, des dialogues de la pièce (ligne 153).

C8. Probablement V. Goubarev.

L'ENFER DE BÉATRICE

3. *L'Événement du Jeudi* : ligne 51, *Le Monde* : lignes 46 à 53, *Le Point* : ligne 30.

5. La date de parution et la nature de publications.

6. Celui du Monde : c'est la mobilisation des gens qui est mise en relief.

COMMENTER

C1. Le Point.

C3. Émission littéraire. La plus célèbre était «Apostrophes», animée par Bernard Pivot.

C8. Non, pas vraiment.

90 ANS DE NOBEL

1. Un récit historique de la création et de l'évolution des Prix Nobel à travers une analyse et une réflexion sur les motivations de leur créateur.

2. Prix Nobel de la Paix et de Littérature.

4a. *Motivations* : § 1.
Vie : § 4, § 5, § 6.
Testament : § 7, § 10, § 11.
Prix : § 7, § 8, § 9, § 12, § 13.
Presse : § 14, § 15, § 16.

4b. § 2, § 3.

4c. § 14, § 15, § 16.

5. Historique.

COMMENTER

C2. Lignes 180 à 184.

C3. Note 2.

C4. Le titre en caractère gras annonce un récit historique. Le sous-titre modifie la première hypothèse du lecteur : en effet, il indique que le récit sert à développer une argumentation sur le thème de l'idéalisme d'Alfred Nobel et du caractère utopique de son projet.

L'ONCE DE GÉNIE DES FAUSSES CARTES À PUCE

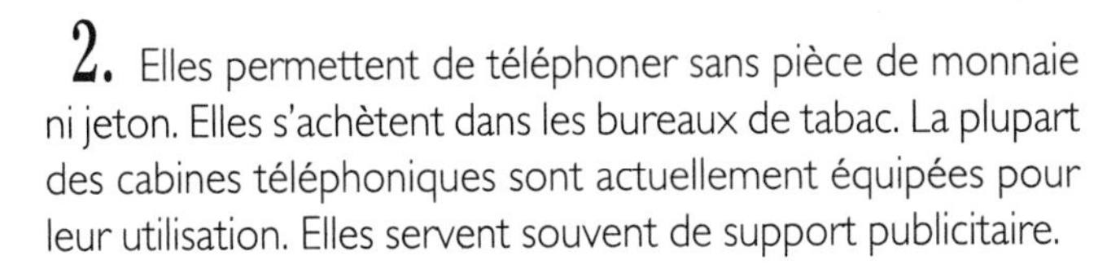

2. Elles permettent de téléphoner sans pièce de monnaie ni jeton. Elles s'achètent dans les bureaux de tabac. La plupart des cabines téléphoniques sont actuellement équipées pour leur utilisation. Elles servent souvent de support publicitaire.

4. Indulgence et humour.

9. Il prend des risques.

11. Il refuse les compliments qu'on lui fait car il déplore la mauvaise qualité de sa carte et regrette l'interruption de sa recherche.

À Nancy

Arrestation de deux surdoués du piratage téléphonique

NANCY
de notre correspondante

Deux étudiants nancéiens, qui fabriquaient et revendaient de fausses cartes de téléphone à puce, viennent d'être interpellés à Nancy. Ils ont été inculpés de contrefaçon, escroquerie et infraction à l'article 39 de la législation des PTT par le juge Gilbert Thiel. Placés sous contrôle judiciaire, ils ont été laissés en liberté.

L'affaire est d'importance et si, pour l'instant, France Telecom n'a pas chiffré son préjudice, il se pourrait bien que ses ingénieurs soient appelés à étudier de très près ce système de piratage pour y trouver parade.

C'est en septembre dernier que la direction des PTT de Meurthe-et-Moselle signale à la police de curieuses anomalies sur le réseau. Des contrôles serrés, des pointages sont effectués au central téléphonique, puis dans les cabines publiques. Certains révèlent des recettes qui sont loin de correspondre à leur utilisation intensive. Planques, filatures : les policiers de la sûreté urbaine repèrent bientôt un jeune Guadeloupéen en grande conversation avec ses parents restés dans son île natale. Interpellé, il ne tarde pas à révéler qu'il est un des « diffuseurs » de fausses cartes de téléphone mises au point par Serge Lefèvre, un garçon de vingt-cinq ans originaire du Doubs et étudiant en BTS à l'école d'électricité de Nancy.

Ce passionné d'informatique a mis au point un système qui, par son ingéniosité, a stupéfié les ingénieurs de France-Telecom ; une carte à puce si sophistiquée que les policiers ont refusé d'en communiquer les données techniques, par crainte de faire des émules. Un des amis de Serge Lefèvre, Jean-Marc Vogel, vingt ans, étudiant lui aussi, était un des concepteurs du système. Jusqu'à présent, les policiers ont saisi une cinquantaine de cartes vendues par ces deux ingénieux faussaires. Pour la somme de mille francs, elles permettaient de téléphoner indéfiniment.

« D'après ce qu'on en sait, a déclaré M. Claude Perardel, directeur opérationnel de France Telecom à Nancy, c'est la première fois qu'un tel système est mis en place. Ce matériel, de toute façon va être observé dans nos laboratoires. Mais France Telecom était au courant, depuis septembre, de cette escroquerie, car nous savons tout ce qui se passe dans les publiphones. Tous nos publiphones sont télé-surveillés : durée des communications, paiement avec une carte erronée. Mais nous n'écoutons pas les communications ! » s'est exclamé M. Perardel.

MONIQUE RAUX
Le Monde,
vendredi 12 octobre 1990

COMMENTER

C2. Non.

C7. Ils sont plutôt jeunes et plutôt de gauche.

C8. Lisez l'article (p. 91) paru le même jour dans Le Monde. Comparez.

FILLES, ENCORE UN EFFORT !

1. Critique de livres.

2. Elle le paraphrase.

3. Courage, les filles ! Continuez, les filles !...

5. Ils sont à *contre-courant* des critiques systématiques de l'institution scolaire. En 1989, ils ont publié un livre, «Le Niveau monte !», dans lequel *ils luttent contre le cliché* selon lequel «le niveau baisse !». Dans «Allez, les filles !», *ils insistent* sur *le rôle* important *de l'école* dans l'avancée de *l'égalité des garçons et des filles.*

6. Sociologie.

7. Fille : personne de sexe féminin, bébé, enfant, adolescente, jeune fille. S'oppose d'une part à garçon, d'autre part à femme.

8. § 7., lignes 103 à 105 : ... n'osent pas...

COMMENTER

C1. 1971.

C2. *École maternelle* : trois sections.
École primaire : CP (Cours Préparatoire), CE1 (Cours Élémentaire 1), CE2 (Cours Élémentaire 2), CM1 (Cours Moyen 1), CM2 (Cours Moyen 2).
Collège : 6e, 5e, 4e, 3e.
Lycée : Seconde, 1re, Terminale.

C3. Les filières scientifiques et techniques.

C5. Oui, car le handicap des filles est d'ordre culturel et psychologique. Elles ont donc un rôle à jouer dans l'évolution des mentalités et des pratiques.

UNE HISTOIRE RACONTÉE PAR LES ENFANTS

1. Il s'agit du dos de la couverture du livre de Sophie Solal, publié par Nathan/Le Monde. (Document 5)

2. Pour informer les lecteurs, assurer la promotion du concours et récompenser les gagnants en publiant leur texte dans un grand quotidien.

3. Les éditions Nathan et le quotidien Le Monde.

5. «C'est une plume» signifie que c'est un bon écrivain. «Avoir une bonne plume» se dit de quelqu'un qui a un bon style à l'écrit. «...en herbe» signifie débutant prometteur, plein d'avenir.

6. Encourager les jeunes talents et tous les jeunes à lire et à écrire.

7. Tous, sauf les textes des gagnants. L'absence de signature équivaut à une signature de la rédaction du quotidien Le Monde, en tant que co-organisateur du concours.

10. Éveiller la curiosité du lecteur, inciter à acheter, ou pour le moins à lire le livre.

11. La reprise de nombreux termes et expressions du récit de S. Solal ainsi que la brièveté des phrases.

13. Le nom des personnages.

UNE CAMÉRA EN SOLITUDE

13. 2 Le texte est-il bien un portrait, rédigé à la troisème personne ?

13. 5 Peut-on retrouver dans le texte du départ l'origine de tout ce qui est formulé dans le portrait ?

COMMENTER

C1. Lignes 123-126 : les expériences variées qu'il a eues, qui ont nourri son besoin de compréhension des autres mondes.

C2. Non, lignes 175 à 180.

C3. Non, lignes 210 à 212.

C4. Il s'agit souvent de questions ouvertes destinées à favoriser des réponses longues et approfondies. Le journaliste propose une interprétation de la réponse précédente que l'interviewé confirme ou infirme en apportant des précisions et des nuances.

LA DOUBLE VIE DES ÉTUDIANTS SALARIÉS

1. Certes, les étudiants qui travaillent sont nombreux, mais ils s'exposent à un risque d'échec plus important que les autres.

4. Interviews, reportages et statistiques internes à quelques universités.

5. Présenter globalement le contenu de l'article.

6. Informatif.

8. § 1.

Il est certain qu'un étudiant qui doit, ou qui souhaite, travailler est confronté à des problèmes réels, générés par cette double vie. En effet, comment faire preuve du sérieux et de la concentration qu'exigent simultanément des études universitaires et un emploi salarié ?

§ 2.

Or, en 1991, au moment même où le gouvernement met en place un plan d'aide sociale destiné aux étudiants en difficultés financières, on ne dispose pas encore, à l'échelle nationale, d'informations fiables sur l'importance numérique du phénomène ni sur la situation des étudiants salariés. Une étude systématique est prévue pour la rentrée 92.

& 3. Sans changement.

§ 4.

Au delà des chiffres, c'est certainement au sujet des motivations de ces étudiants salariés que les enquêtes sont les plus instructives. En effet, y compris parmi ceux qui travaillent par nécessité ou pour satisfaire leur désir d'indépendance, beaucoup attendent, ou découvrent chemin faisant, bien d'autres avantages à leur choix : élargir leur horizon au monde du travail, rompre une certaine routine des études, apprendre à s'organiser en se confrontant à d'autres types de contraintes, prendre conscience du privilège qui est le leur... etc. Sans compter le plaisir de l'argent gagné personnellement et celui, parfois, de faire un travail que l'on aime.

§ 5.

Pourtant, dans les conditions qui sont les leurs actuellement, ces étudiants savent bien qu'ils prennent des risques : il arrive que la fatigue chronique et les absences répétées compromettent les chances de succès aux examens. Certains en font l'amère expérience. Leurs doléances commencent seulement à être entendues par certaines universités qui s'efforcent d'aménager les horaires à leur intention.

COMMENTER

C1. Les étudiants qui exercent une activité professionnelle plus ou moins régulière, en plus de leurs études.

C2. Le secteur public.

C3. Non, les bourses sont accordées en fonction des revenus de la famille.

C4. Parce que le gouvernement lance un plan d'aide sociale en faveur des étudiants les plus démunis.

C5. Les motivations des étudiants salariés.

C6. L'article est adapté aux lecteurs de cette rubrique du Monde, qui possèdent généralement les autres catégories d'informations.

PAS D'ARGENT SALE AU GUICHET

1. L'argent sale : qui provient du trafic de la drogue.

2.

– Parce que dans le langage familier, «un gros bonnet» désigne une personne influente, puissante.

– Puisqu'il veut ouvrir un compte bancaire, on suppose qu'il vient déposer une somme d'argent liquide importante. L'employé a un soupçon sur l'origine de cet argent. Il téléphone donc à son supérieur hiérarchique.
– Oui, car l'employé a l'air de parler très fort.
– Le dessin montre exactement ce qu'il ne faut pas faire, et ainsi la nécessité de formation.

4. L'opération désigne la formation. En mai 91, elle était en phase d'expérimentation et devait être généralisée dans les semaines suivantes (avant les vacances d'été 91).

5. Tenu de participer à la lutte contre la drogue, le secteur bancaire lance un plan de formation à l'intention de son personnel, notamment des guichetiers dont le changement d'attitude est une priorité absolue.

6. Bien que l'article soit essentiellement informatif, il contient deux sujets polémiques : faut-il aider la police en jouant le rôle détesté d'«indicateur» ? La violence des images ne risque-t-elle pas de provoquer des traumatismes néfastes ?

15. 1 : cette ; 2 : qui ; 3 : son ; 4 : lui ; 5 : le ; 6 : suspect ; 7 : il ; 8 : employée ; 9 : attitude ; 10 : question.

16.

	1	2	3	4	5	6	7	8	9	10
Article défini					+					
Adjectif démonstratif	+									
Adjectif possessif			+							
Pronom sujet							+			
Pronom complément				+						
Pronom relatif		+								
Nom reprenant une phrase										+
Nom reprenant plusieurs phrases									+	
Synonyme dans le contexte						+				
Répétition d'un terme, avec changement de déterminant								+		

17. Reprend ce qui précède : 2, 4, 6, 7, 8, 9, 10.
Annonce ce qui suit : 1, 3, 5.

FRANCE-ÉTAT-UNIS : LES IDÉES REÇUES

1. Parce qu'il ne s'agit pas d'un journaliste. L'article est une «tribune libre» et n'engage que la responsabilité de l'auteur.

3. Les clichés, les préjugés, les stéréotypes, etc.

5. *Surprise* : ligne 6, curieusement ; ligne 17, étonnantes ; ligne 25, étonnant ; ligne 66, en dépit de ; ligne 79, ... se poser quelques questions.
Jugement sur la valeur des sondages : ligne 95,... discutable... révélateurs.
Enseignement de ce sondage : ligne 97, ce sondage montre que les mentalités... que la compréhension...
Regret : ligne 91, il est absurde ; ligne 94, auraient-elles ; ligne 100, un vœu pieux.

8. Lignes 28 à 64, car ce passage rend compte de l'opinion française du siècle dernier.

9. *Mépris* : ligne 40, méthodes frauduleuses ; ligne 42, vie truquée et machinée ; ligne 51, aucune valeur culturelle ; ligne 54, rien d'autre à proposer.
Chauvinisme : ligne 55, dormir sur ses deux oreilles ; ligne 58, incontestée et incontestable.
Sentiment d'injustice : ligne 37, avaient bénéficié d'avantages indus.

10. lignes 15 à 24.

11. *Envahissante* : jugement à connotation négative.
Puissante : constat sans jugement de valeur.
Fascinant : jugement à connotation positive.

18. Fascinant, puissante et envahissante.

19. Français et Américains ne se seraient-ils jamais compris, ou se seraient-ils trop bien compris ? Lignes 80-82.

COMMENTER

C2. Non, mais qu'elles nécessitent une analyse.

C3. Artistiques : musique, architecture et littérature.

C4. Peu, car l'auteur a choisi de développer les erreurs d'appréciation des Français sur les Américains et non l'inverse.

UNE BANLIEUE DANS LE PÉTRIN

1. SOS ; «… dans le pétrin» ; «avoir recours» ; la «réquisition».

2. Une opinion largement partagée, presque un dicton populaire.

3. On a réouvert la boulangerie.

4. Le Rond-Point se trouve dans le quartier de la petite ville de Draveil, située dans la grande banlieue parisienne.

5. La boulangerie avait fermé. Le quartier était en train de mourir. Le maire a réquisitionné les murs. Il a ainsi permis qu'elle réouvre.

7. Dernier paragraphe. Informer et sensibiliser les lecteurs sur les risques d'une urbanisation technocratique.

8. …séduits par le modèle américain… ; …quand on touche à… c'est… qu'on leur abîme ; …On espère que… ; Certains tirent… mais les vrais urbanistes sont…

9. Le pain quotidien. La bataille du pain. L'urbaniste et le boulanger, etc.

10. Au printemps (ligne 30) ; à la rentrée (ligne 48) ; fin décembre (ligne 135) 1991.

11. **Les temps du passé :**
– sous-titre, ligne 3, ligne 12 : le journaliste se situe au moment où il écrit l'article.
– ligne 71, etc. : le journaliste cite les protagonistes, au discours direct.
– lignes150, etc. : concordance des temps dans le discours indirect.
Les temps du futur :
– ligne 162 de nouveau, le journaliste se situe par rapport au moment où il écrit.

13. L'ancien boulanger, le propriétaire, les commerçants, la libraire, la bouchère, les habitants du quartier, le maire et le nouveau boulanger provisoire.

14. Lignes 26 à 28, ligne 54, ligne 100 : les habitants du quartier.
ligne 75 : en général, les gens, en France.
ligne 172 : les habitants du quartier, le journaliste et ses lecteurs.

16. Résumé A : 1 – 7 – 4 – 9 – 11 – 3 – dernier paragraphe.

Une banlieue dans le pétrin

La villa : paisible quartier de Draveil, à 25 km de Paris. Ses habitants sont des retraités qui vivent dans des pavillons, le long de la Seine. Leur lieu de rencontre est au Rond-Point des Fêtes, un petit centre commercial. Là, on bavarde et on fait ses achats. La boulangerie de M. Busset est «l'âme du quartier».

Ou plutôt c'était. Depuis qu'une brouille entre M. Busset et le propriétaire, M. Marcel Lecourbe, dit «Papy», a abouti à l'expulsion du boulanger à la suite de la résiliation du bail commercial.

N'aimant pas le pain industriel, les villageois sont allés faire leurs courses ailleurs.

Cette exode a presque ruiné les autres commerçants du Rond-Point qui ont entrepris une série de démarches (sensibilisation des habitants, pétitions, visites au maire, pourparlers avec «Papy») pour revenir au statu-quo ante bellum.

Les mois passent et rien n'arrive. «Papy» tergiverse et dit que c'est difficile de trouver un repreneur. Le maire, M. Jean Tournier-Lasserve, tranche net : il réquisitionne les murs de la boulangerie et il y installe provisoirement un nouveau boulanger, M. Louis Filoche. La clientèle revient au Rond-Point.

Au fond, le vrai problème est la mise en question «d'une certaine qualité de vie». Les habitants de la Villa ont montré que même si l'on est au seuil de l'an 2000, il y a encore des gens qui n'aiment point la société de consommation à l'américaine et qui sont prêts à s'engager pour préserver une ville à mesure humaine.

Résumé B : 8 – 10 – 5 – 2 – 6 – dernier paragraphe.

Une banlieue dans le pétrin

Ça se passe à Draveil, 30 000 habitants, 25 km de Paris, dans un quartier pavillonnaire, comme un village, peuplé de retraités argentés, avec une zone commerciale où l'on vient acheter et bavarder.

Un beau jour, le propriétaire de la boulangerie et son boulanger se brouillent. Le boulanger part. Plus de pain, donc, sauf du pain industriel qu'ici on n'aime pas. On va faire ses courses ailleurs. Les commerçants du quartier voient leur clientèle disparaître. Ils réagissent, se regroupent pour protester et obtenir la réouverture de la boulangerie. Le propriétaire les rassure mais ne fait rien malgré une pétition de plusieurs centaines de signatures. A la boulangerie comme au café, on est connu, reconnu. Quand ils ferment, c'est que le village se meurt.

Le maire de Draveil prend les choses en main, tente de convaincre le propriétaire. En vain ; celui-ci demande trop cher pour louer la boulangerie. Alors, excédé, il décrète la réquisition de la boulangerie, comme c'est son droit de maire. La population remet elle-même la boutique en état, elle en avait bien besoin. Un boulanger revient donc, dans l'allégresse générale. On se presse de nouveau pour acheter du bon et vrai pain, bien que ce soit du pain fait ailleurs qu'à Draveil et livré chaque jour par camionnette. L'affaire n'est pas close, mais elle montre que, tout près de Paris, des gens préfèrent encore la qualité de la vie au modèle américain de consommation industrielle. Les commerces de proximité sont justement le sel de l'existence ; les supprimer, c'est abîmer la vie. Espérons que les bâtisseurs de l'an 2000, dans leurs bureaux, le comprennent. Qu'ils regardent la ville, non du haut de leurs hélicoptères, mais à pied, en s'y promenant.

18. Le présent de l'indicatif convient bien car cette histoire est racontée comme on raconte un film ou un livre.

COMMENTER

C1. La réquisition est une mesure provisoire. Le propriétaire devra retrouver son bien.

C2. Dans le pétrin : titre, sauver la tête : ligne 7 ; la guéguerre : ligne 12 ; argentés : ligne 18 ; zizanie : ligne 40 ; exit : ligne 45 ; la moutarde leur monte au nez : lmigne 64 ; ça dégringole : ligne 69 ; ne vous en faites pas : ligne 99 ; fêlé du ciboulot : ligne 151 ; la bagnole : ligne 167.

C3. Une zone commerciale est un quartier où il y a de nombreux commerces. Un centre commercial est un ensemble moderne comprenant des supermarchés, des boutiques et un parking. Généralement implantés à l'écart de la ville, ces centres commerciaux se sont multipliés, en France, depuis les années 60, sur le modèle américain.

DES AUTOBIOGRAPHIES «CLÉ EN MAIN»

1. Une autobiographie est écrite à la première personne ; l'auteur y raconte sa propre vie. Dans une biographie, l'auteur raconte la vie d'une autre personne.

2. a : 1 ; b : 2.

4. À l'intention de clients éventuels.

7. Non, il s'agit d'un article informatif.

16. Il s'agit d'un commentaire, proche du «billet d'humeur» ; il pourrait également figurer dans le courrier des lecteurs.

COMMENTER

C1. Bien qu'appartenant à des catégories socio-professionnelles différentes, elles sont toutes deux fortunées.

C2. Une espèce d'exorcisme de son passé, une compensation, un règlement de compte.

Références photographiques : p. 6 : Roger-Viollet ; p. 14 : Olympe, Foley ; p. 21 : Roger-Viollet ; p. 27 : Les Humanoïdes associés. Dessin de Rémi Malingrey © pour Libération ; pp. 38-39-40 : Nathan / Le Monde, Plume en Herbe ; p. 47 : Hoa-Qui, Valentin ; p. 65 : Pessin ; p. 77 : Rey.

Couverture : François Huertas – Recherche iconographique : Atelier d'Images
Composition et mise en page : CND International – Édition : Gilles Breton

N° d'éditeur : 10011410 - I - (8) - OSB - 80 — Dépôt légal : janvier 1993
Imprimé en France par Pollina, 85400 Luçon - n° 15778